JN287767

ウー・ウェンさんの
わが子が育つ家族の食卓

女子栄養大学出版部

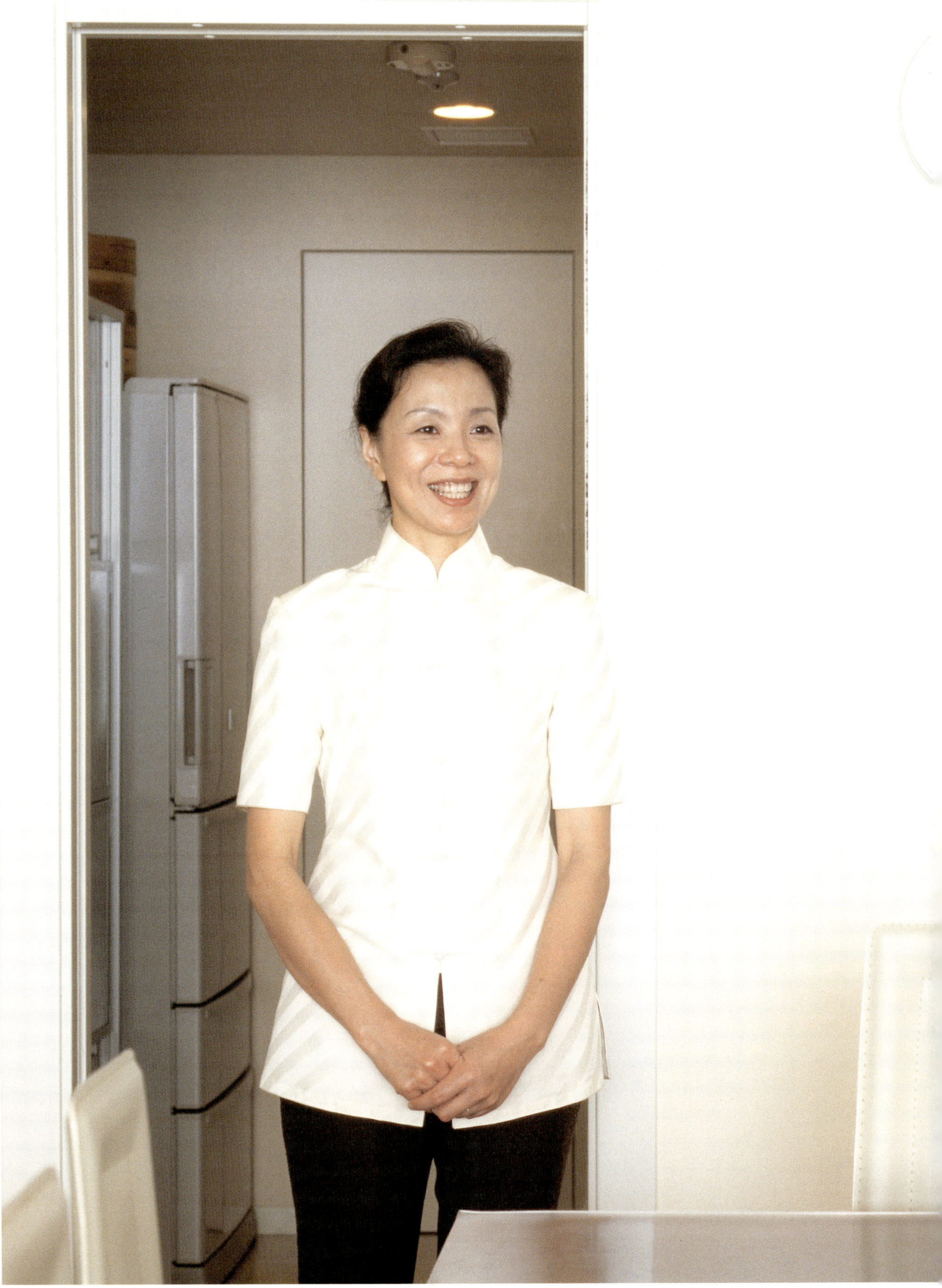

はじめに

私は結婚するまでは料理をしたことがありませんでした。
皆さん、驚かれるでしょうが、本当です。
私の母はいわゆる教育ママでした。
「子供の仕事は、お友達をたくさんつくることとお勉強をすること。
それは子供のうちにしかできないので、お料理や家事は母親がきちんとやる。
そうすれば子供も、体で覚えてくれる」
それが母の信念だったようです。
たまに、からしを練るといった程度の簡単な手伝いはさせられましたが、
私が母といっしょに台所に立ち、何かを作るということはほとんどなかったのです
不思議なことに母が作ってくれる料理は、いつもおいしく感じられました。
そして、「今日はあの料理が食べたいなぁ」と思っていると、
また不思議に、その日の食卓に私の願った料理がぴたりと出てきたのです。
私が結婚をし、家事や家族の健康管理をしなければならなくなったとき、
最初はとても戸惑いました。しかし、母がしてくれたことを思い出してやってみると、
すべてが習慣づいていて、とても楽しくできました。
家庭や家族の温かみは食卓に表われます。
おいしいものを食べて、いやな気持ちになる人はほとんどいないと思います。
さらに自分が食べたいと思うものを、
その日の家庭の食卓で食べられる人は世界一の幸せもの。
私は母がしてくれたことを、そのまま自分の家族にも実践しています。
家族みんながそろって元気で、家のことがうまくいくのも、
まずは健康な体があってのこと。
家族の健康づくりは母親にしかできないのです。
そのためにも母親はまず家族の体調をよく知ることです。
わが家はいつも、体調のよくない人に合わせた献立にします。
子供が元気であれば、家の中はいつも笑顔でいっぱいです。
たとえいくら忙しくても、
一日3食をきちんととれば生活のリズムが整います。
代謝のサイクルも決められて、
体調のよしあしもわかるようになってきます。
手抜きはできません。むしろ忙しいときこそ食事はきちんととるべきで、
それができれば、すべてがうまく運びます。会話も豊かになって、気分がよくなり、
話もどんどん進みます。私は家族を毎日元気でいさせることが、
いちばんの食育ではないかと思っています。

もくじ

はじめに	2

1. 家族みんなの健康はまず朝ごはんから
ウーさん流　わが家の朝食1週間レパートリー　6

月曜日のメニュー	8
火曜日のメニュー	10
水曜日のメニュー	12
木曜日のメニュー	14
金曜日のメニュー	16
土曜日のメニュー	18
日曜日のメニュー	20
コラム［お助けマン常備菜］	22

2. じょうぶで元気な子供を育てるもとはごはん
白米プラス雑穀で栄養満点！体によい炊き込みごはん　24

押し麦入り炊き込みごはん	26
さつま芋とドライソーセージの黒米入り炊き込みごはん	28
甘栗とベーコンのきび入り炊き込みごはん	30
里芋とハムのあわ入り炊き込みごはん	30
具だくさん玄米入り炊き込みごはん	32
長芋とコンビーフの赤米入り炊き込みごはん	34
コラム［炊き込みごはんを定番メニューで］	36

3. たんぱく質をじょうずにとり入れてレパートリー豊かな献立に
家族の絆をつくるわが家の夕食卓　38

卵を主菜に

卵とねぎの塩いための献立	40
大鉢茶わん蒸しの献立	44

魚介を主菜に

わが家のエビチリの献立	48
ホタテとイカのにら入りかき揚げの献立	52
白身魚と豚バラ肉のしょうゆいための献立	56
青魚の酢じょうゆ煮の献立	60

肉を主菜に

豚スペアリブと干しぶどうのカレー煮の献立	64
牛もも肉のみそいための献立	68
棒々鶏（バンバンジー）と小松菜のりんごじょうゆだれかけの献立	72

豆腐・豆腐製品を主菜に

麻婆豆腐の献立	76
厚揚げときくらげのしょうゆいため煮の献立	80
コラム［豆を手軽にとり入れて］	84

4. 家族の体調が悪いときには、そのときの症状に合ったメニューで
食欲が湧かないとき、回復力アップのおかゆとスープ …… 86

かぜをひいたとき	88
れんこんとしょうがのスープ・大根とねぎのあっさりスープ	
おなかの調子が悪いとき	90
胚芽米の七分がゆ・すりおろしりんごのあわがゆ	
便秘になったとき	92
かぼちゃと山芋の黒米がゆ・金時豆とさつま芋の大麦がゆ	
コラム［薬効ドリンク］	94

5. みんなで手をかけてつくる料理はおいしさ倍増！
週末、特別な日につくる楽しい小麦粉料理 …… 96

小麦粉料理の基本	98
春餅（チュンピン）	100
炸醤麺（ジャージャーメン）	104
長寿麺（チャンショウメン）	106
コーンのシューマイ・海鮮蒸しギョーザ	108
コラム［簡単手作りおやつ］	114

6. ときには自分のためのごほうび料理を楽しんで
お母さんのための美人献立 …… 116

美肌をつくるヘルシー献立	118
ボリュームたっぷりの元気献立	120
コラム［中国茶の楽しみ方］	122

料理＆栄養価一覧	124
終わりに	127

この本の使い方
- 本書で使用している計量の単位は1カップ＝200ml、大さじ＝15ml、小さじ＝5mlです。1合は約180mlです。計量は小さじ1/5まで表示し、それより少ない量は「少量」としました。
- 材料に示した分量はすべて正味重量です。
- 栄養価は1人分、1個分など、最小単位を基準とし、実際口に入る量を算出しました。
- いためなべはフッ素樹脂加工のものを使用しました。

家族みんなの健康は

朝食はいちばんたいせつ！　なにせ一日の始まりですから。
とはいっても、胃腸はまだ眠ったままかもしれません。
その眠った体を少しずつ起こすように、
朝の食卓には"量より質"、なによりも"やさしさ"を出してほしいのです。
そうすることで胃腸や脳、体全体が目覚めてきます。
また、朝食を毎日決まった時間にとることで、一日の食事スタイルも整います。
朝食は単調になりがちですが、それでは食欲も湧いてきません。
特に子供はそうです。わが家の朝食は1週間でバランスを考えます。
毎日決められたリズムの中で"軽く"、"重く"というように……。
そうすることで体に自然と食べる意欲が湧いてきます。
朝食をとる習慣を子供のうちに身につければ、一生の基礎となります。
朝食を食べれば一日を決められますし、一生を決められます。
また、わが家の朝食に絶対欠かせないもののひとつがくだものです。
くだものに含まれるビタミンCは、
朝のうちにとったほうが効果的なのだそうです。「朝のくだものは金」と
よくいわれますね。その「金」を逃さないようにしましょう。
朝食は明日の健康な体を維持していくためにもたいせつなこと。
このたいせつさは大人になってわかることでもあります。
母親となった以上、この朝食の努力を20年は続けていただきたいと思います。
結果は毎日表われますから、成績はその日のうちに出てきます。
たいへんなことですが、家族のたいせつな一日のためですもの、
やりがいはあります。
「おはよう、ママ！　今日の朝ごはんはなに？」
これがわが家の子供たちの第一声。
私にとってはそれがいちばんうれしく、幸せな瞬間でもあります。

まず朝ごはんから
ウーさん流 わが家の朝食 1週間レパートリー

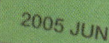

1

月曜日のメニュー

週末に少し食べすぎた月曜日の朝は体にもやさしいおかゆでスタート。パパッと作れる簡単なつけ合わせがあれば食欲もアップします。さあ、また1週間が始まりますよ！

Menu
- おかゆと簡単つけ合わせ3種
- つけ合わせ1 梅ごまジャム
- つけ合わせ2 たくあんのごま油あえ
- つけ合わせ3 ゆで卵
- りんごとオレンジのフレッシュサラダ

おかゆと簡単つけ合わせ3種
142kcal 塩分0.0g

[材料]4人分
米：1カップ
水：7カップ

[作り方]
1. 米は洗ってざるにあげて水けをきる。
2. なべに米と水を入れて火にかけ、煮立ったらなべ底にくっつかないように玉じゃくしなどでゆっくりとかき混ぜてふたをし、弱火で50分〜1時間ほど煮て炊き上げる。

＊炊飯器にかゆ炊き機能がある場合

[材料]
米：1合
水：炊飯器の五分がゆの目盛りまで

[作り方]
米は洗って水けをきり、炊飯器に入れて分量の水を加え、五分がゆメニューで炊く。

炊飯器におかゆモードがある場合は、とても簡単におかゆが炊けます。前日にタイマー予約をしておきましょう。少し朝寝坊しても心配いりません。

つけ合わせ1 梅ごまジャム
28kcal 塩分0.9g（1/4量）

[材料]作りやすい分量
梅干し：3個
すり白ごま：大さじ2

[作り方]
梅干しは種を除いて細かく刻み、すりごまと混ぜ合わせる。

簡単に作れる梅ごまジャムは、たくさん作って保存しておくと便利です。パンにもよく合います。

つけ合わせ2 たくあんのごま油あえ
20kcal 塩分0.3g（1/4量）

[材料]作りやすい分量
たくあん：50g
削りガツオ：適量
ごま油：大さじ1/2

[作り方]
たくあんは5mmほどに細かく刻み、削りガツオ、ごま油と合わせてあえる。

つけ合わせ3 ゆで卵
57kcal 塩分0.5g

[材料]4人分
卵：4個
塩：少量

[作り方]
なべに水、卵を入れて火にかけ、沸騰したら火を弱め、8〜10分ほど（好みのゆで加減で）ゆでる。殻をむき、縦半分に切って器に盛り、好みで塩をふる。

りんごとオレンジのフレッシュサラダ
52kcal 塩分0.2g

[材料]4人分
りんご：1個（300g）
オレンジ：1個（200g）
レモン汁：大さじ1
はちみつ：小さじ1
塩：少量

[作り方]
1. りんごは皮と芯を除き、1cm角に切る。オレンジは皮をむき、1cm角に切る。
2. ボールに1を入れて合わせ、レモン汁、塩、はちみつであえる。

9

朝

火曜日のメニュー

子供も大好きなフレンチトーストには
黒砂糖を使うのがわが家のオリジナル。
普通の砂糖よりもカルシウムや鉄分が高いうえ、
香り高く仕上がります。
ビタミンCたっぷりのジュースを添えたら、
わずか2品で栄養価満点！

Menu

黒砂糖フレンチトースト
フレッシュキャロットジュース

黒砂糖フレンチトースト

307kcal 塩分0.9g

[材料]4人分
食パン（4枚切り）：2枚
卵：2個
牛乳：1½カップ
黒砂糖（粉末状のもの）：大さじ4
バター：大さじ3

[作り方]
1 ボールに卵を割りほぐし、牛乳、黒砂糖を加えてよく混ぜ合わせる。
2 食パンは耳を薄く除き、1枚を6等分に切り、1につけて全体に卵液をしみ込ませる。
3 フライパンにバターを熱し、2の両面をこんがり焼く。好みで黒砂糖（分量外）をふりかける。

卵液を入れた容器に前日からパンをしみ込ませておけば、さらに味がしみ込みおいしさアップ。食パンも厚切りのものがおすすめです。

フレッシュキャロットジュース

105kcal 塩分0.0g

[材料]4人分
にんじん：1本
オレンジ：2個
りんご：1個
はちみつ：大さじ2
水：1½カップ

[作り方]
1 にんじんは皮をむいて一口大に切る。オレンジは皮をむいて、りんごは皮と芯を除いてそれぞれ一口大に切る。
2 すべての材料を合わせ、ミキサーにかける。

ご家庭に1台はあるのにキッチンの奥で眠ってはいませんか？忙しい朝、わが家ではジュースやスープを作るのに大活躍のミキサー。

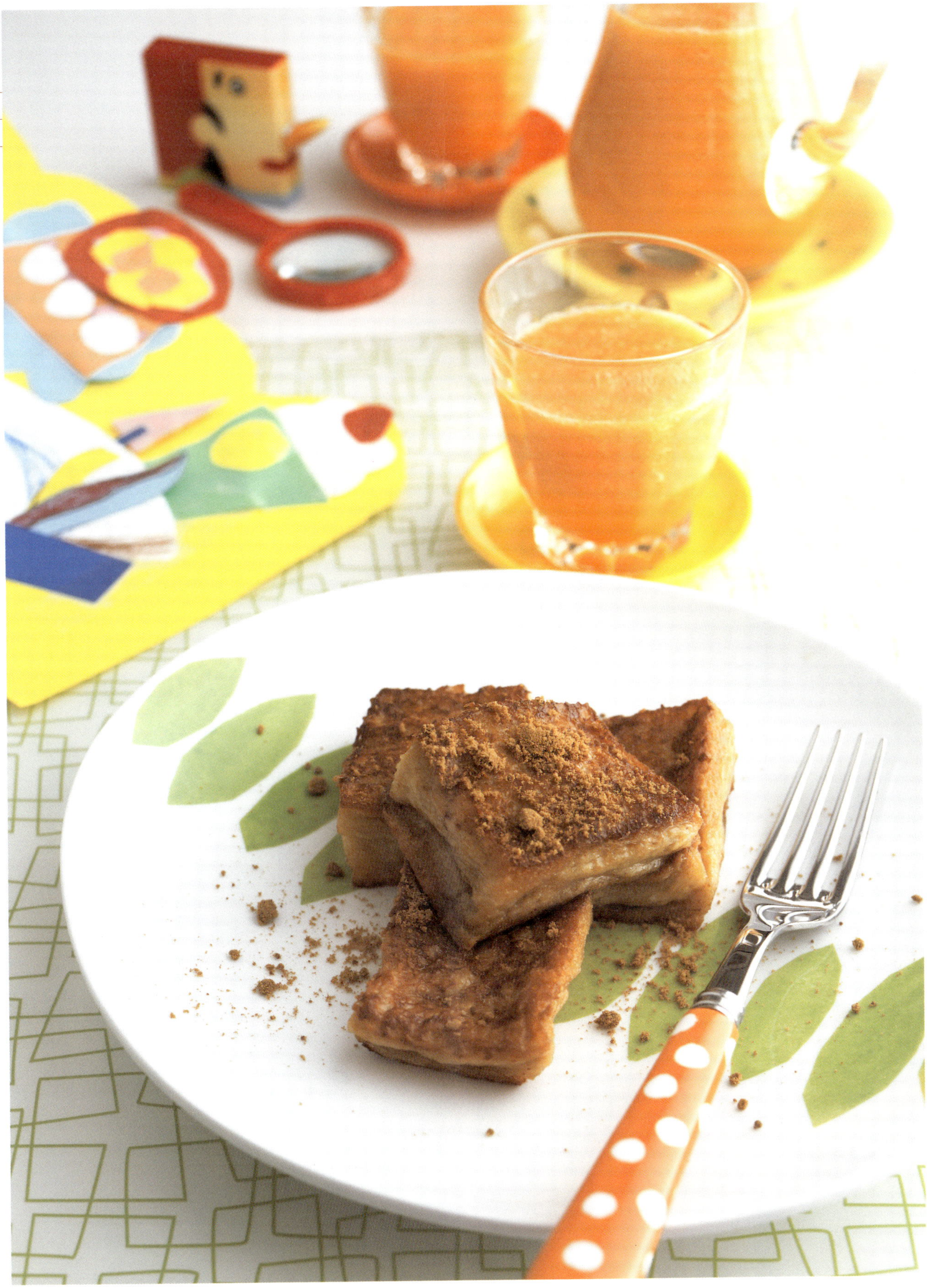

朝

水曜日のメニュー

週の半ばに入ると、
みんな疲れが出やすくなります。
そんな日にはやっぱりごはんとみそ汁、
基本の和食が一番！
焼き魚を加えて、
たんぱく質もしっかり補います。
ほら、もう元気になったでしょ?!

Menu
サケのフライパン焼き
大根とわかめのみそ汁
りんごのシロップ煮
ごはん

大根とわかめのみそ汁
35kcal 塩分1.4g
[材料]4人分
大根：200g
わかめ（もどしたもの）：30g
ねぎ：½本
だし：4カップ
酒：大さじ1
みそ：大さじ2
[作り方]
1 大根は皮むいて1cm角に切る。
2 わかめは一口大に切る。ねぎは1cm幅に切る。
3 なべにだし、1を入れて火にかけ、煮立ったら弱火にして4〜5分煮る。大根がやわらかくなったら2と酒を加え、みそをとき入れる。

サケのフライパン焼き
224kcal 塩分2.5g
[材料]4人分
塩ザケ：4切れ（400g）
かたくり粉：大さじ1
サラダ油：大さじ½
a { しょうゆ：大さじ1
    酒：大さじ2
[作り方]
1 サケは水洗いして水けをふきとり、一口大に切ってかたくり粉をまぶしておく。
2 フライパンに油を熱し、1を入れて両面を焼いて火が通ったらaを加えて落としぶたをし、弱火にして3〜4分蒸し煮にする。
3 落としぶたをはずし、弱火でカリッと焼き目をつける。

りんごのシロップ煮
186kcal 塩分0.0g
[材料]4人分
りんご：3個
白ワイン：1カップ
氷砂糖：80g
レモンの搾り汁：大さじ2
[作り方]
1 りんごは皮と芯を除き、一口大に切る。
2 1をなべに入れ、白ワインを加えて火にかける。煮立ったら落としぶたをして、弱火で30分煮、氷砂糖を加えてさらに30分煮る。
3 2がとろりと煮つまったら、レモン汁を加えてさらに2〜3分煮る。

アジも朝ごはんによく登場する魚。アジに多く含まれるIPAやDHAは脳の働きを応援する効果も。

成長期の子供にとって乳製品はとても大切な栄養素。ヨーグルトにりんごのシロップ煮をかければ、カルシウム＋ビタミンで栄養価満点！シロップ煮は作りおきしておくと便利です。

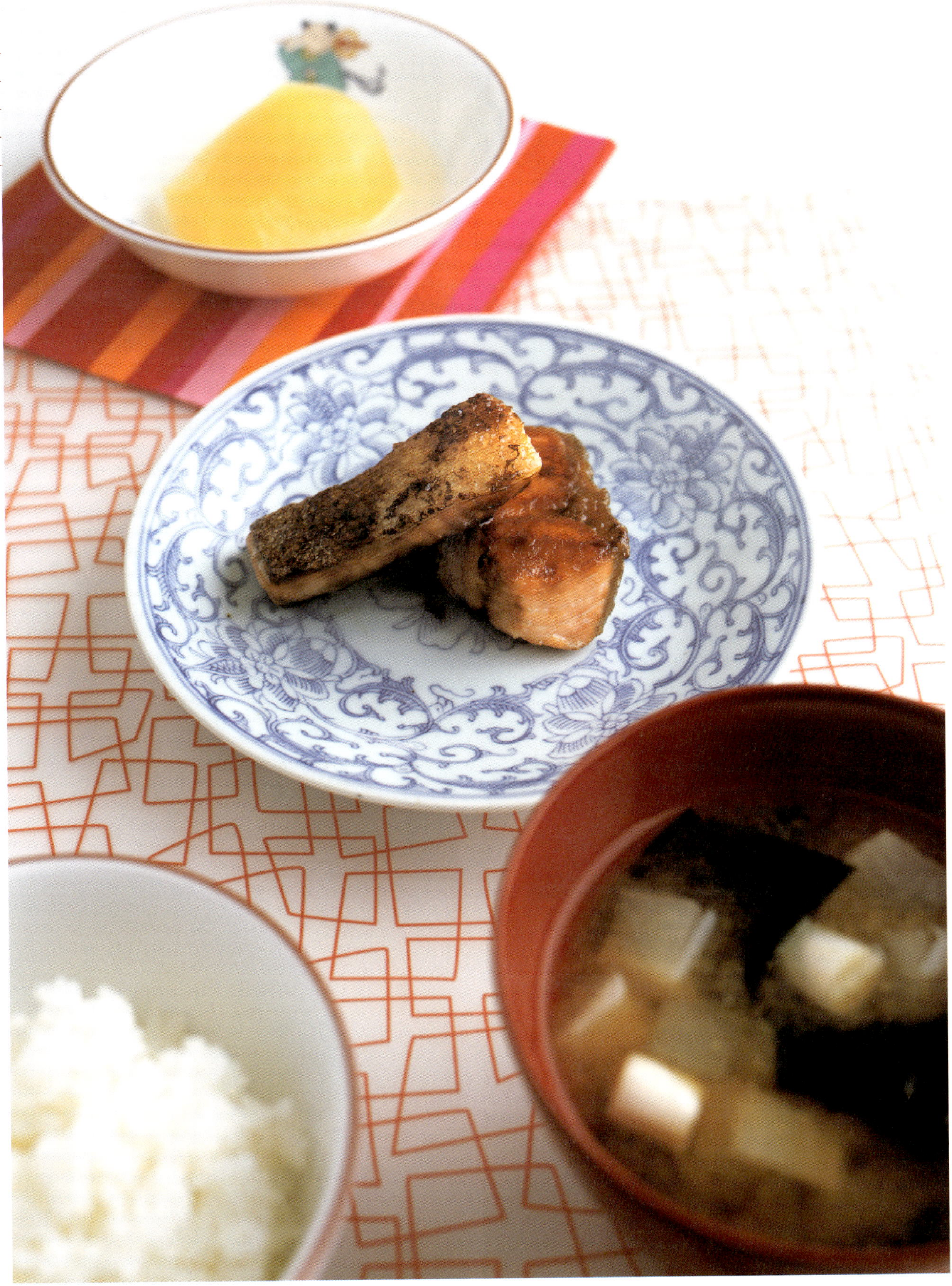

朝

木曜日のメニュー

夕食が遅くなってしまった翌朝は、
みんなあまり食が進みません。
無理せずに栄養のあるものを
少しでも口にする習慣を。
ご紹介するコンソメ煮は
材料2つでとても簡単です。
冷蔵庫のあまりものの野菜を加えて、
ボリュームアップしても。

Menu
ソーセージとにんじんのコンソメ煮
グレープフルーツジュース
レーズンバターロール

ソーセージとにんじんのコンソメ煮

159kcal　塩分1.4g

[材料]4人分
ウインナソーセージ：150g
にんじん：2本（250g）
サラダ油：大さじ1/2
a ｛ 水：1カップ
　　 顆粒ブイヨン：小さじ1
酒：大さじ1
塩：小さじ1/5

[作り方]
1. ソーセージは斜め半分に切り、にんじんは一口大に切る。
2. なべに油を熱し1を入れていためる。火が通ってきたらaを加え、煮立ったらふたをし、弱火にして10分煮る。
3. 仕上げに酒、塩で味をととのえる。

グレープフルーツジュース

95kcal　塩分0.0g

[材料]4人分
グレープフルーツ：4個

[作り方]
グレープフルーツは半分に切って搾り器で果汁を搾る。

★食材別のストック法

朝食にもなるべくいろいろな食材を使いたいもの。そのアイディアはキッチンの棚の中にも秘密があります。穀類、豆類、乾物類、調味料類といったように食材別に分けて収納。今日はこの食材を、明日はあの食材をと考えるとレシピのアイディアも湧いてきます。

搾り器を使って果汁たっぷり100%フレッシュジュースにします。市販品では味わえない、さわやかな香りが朝から幸せな気分に。グレープフルーツの香りはたんぱく質を活性化する働きもあるそう。

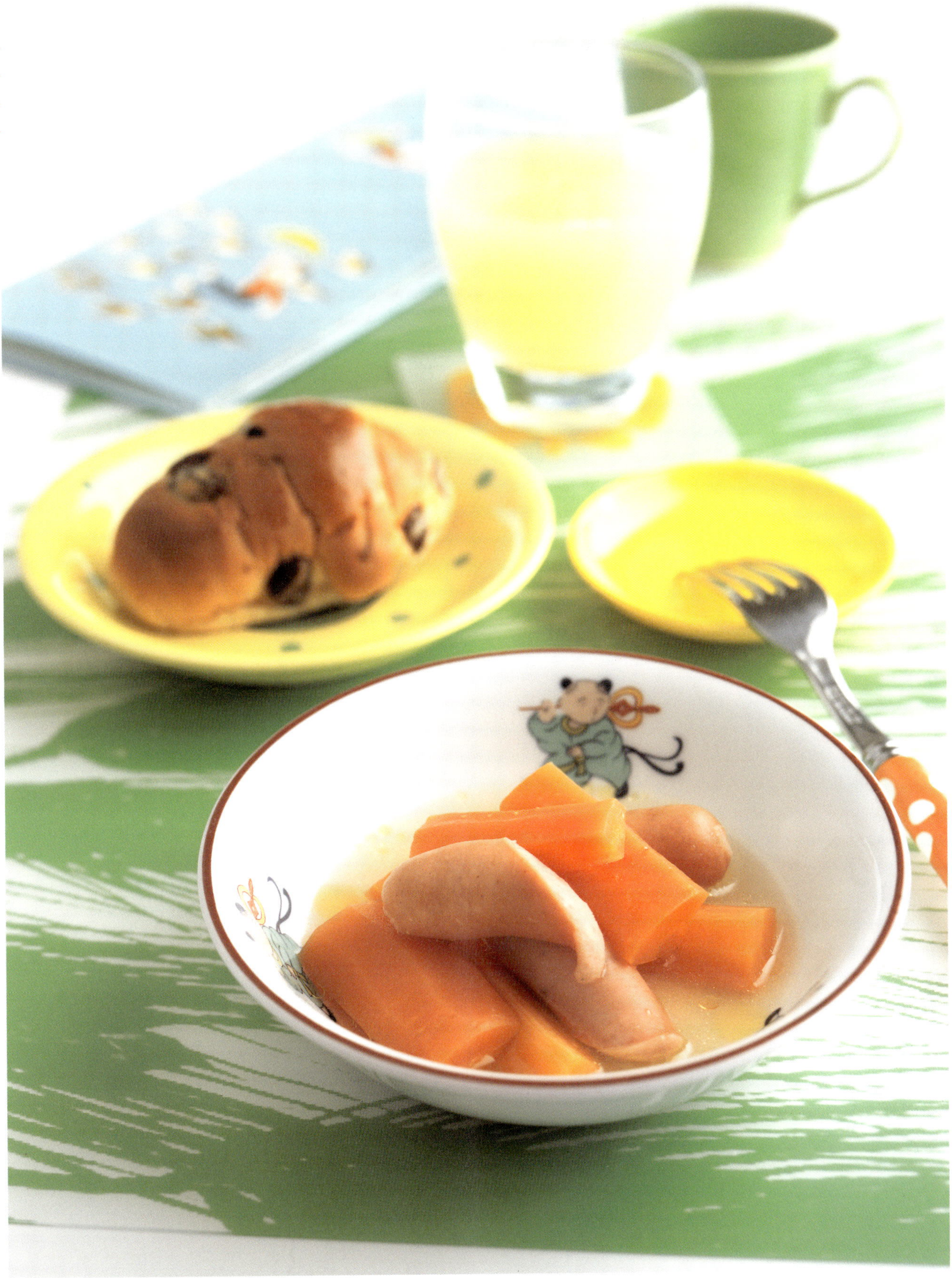

朝

金曜日のメニュー

なんとなく気分も軽やかになる金曜日。
週末を楽しめるように体調を整えて
スタンバイしたいですね。
たんぱく質豊富なオートミールと
豆乳は相性ばっちりです。
豆乳のやさしい甘さで子供たちにも
大人気の一品です。

Menu

オートミールの豆乳がゆ
ほうれん草入りふわふわオムレツ
いちご

オートミールの豆乳がゆ

276kcal 塩分0.9g

[材料]4人分
オートミール：1カップ
水：2カップ
豆乳：2カップ
ベーコン：2枚(30g)
玉ねぎ：1個(200g)
塩：小さじ1/2
サラダ油：大さじ1

[作り方]
1 オートミールはたっぷりの水にひたしてざるにあげ、水けをきる。
2 ベーコンは0.5cm幅に切り、玉ねぎは皮をむいてみじん切りする。
3 なべに油を熱し、2を入れていため、香りが立ったら水、オートミールを加えてよく混ぜる。煮立ったらふたをして、弱火で10分煮る。
4 3に豆乳を加えてのばし、再び煮立ってから5〜6分弱火で煮、塩を加えて調味する。

ほうれん草入り ふわふわオムレツ

147kcal 塩分0.5g

[材料]4人分
ほうれん草：1束(200g)
卵：3個
a { 塩：小さじ1/5
    酒：大さじ1 }
練り白ごま：大さじ1
サラダ油：大さじ2

[作り方]
1 ほうれん草は湯通しし、水にさらして1cm長さに切って水けを絞る。
2 ボールに卵を割り入れ、aで調味し、1と練りごまも加えてよく混ぜる。
3 フライパンに油を熱して2を入れ、ゆっくりと大きく混ぜながら火を通し、半熟状になったらフライパンを向こう側に傾け、卵を折りたたんで形を整える。

オートミールは穀類の中でもたんぱく質が多く、ビタミンB1も豊富。もっと朝ごはんに活躍させましょう。ふっくらとおいしくするポイントは充分に水を吸わせること。調理時間を短縮することもできます。

いちご

17kcal 塩分0.0g

[材料]4人分
いちご：12個

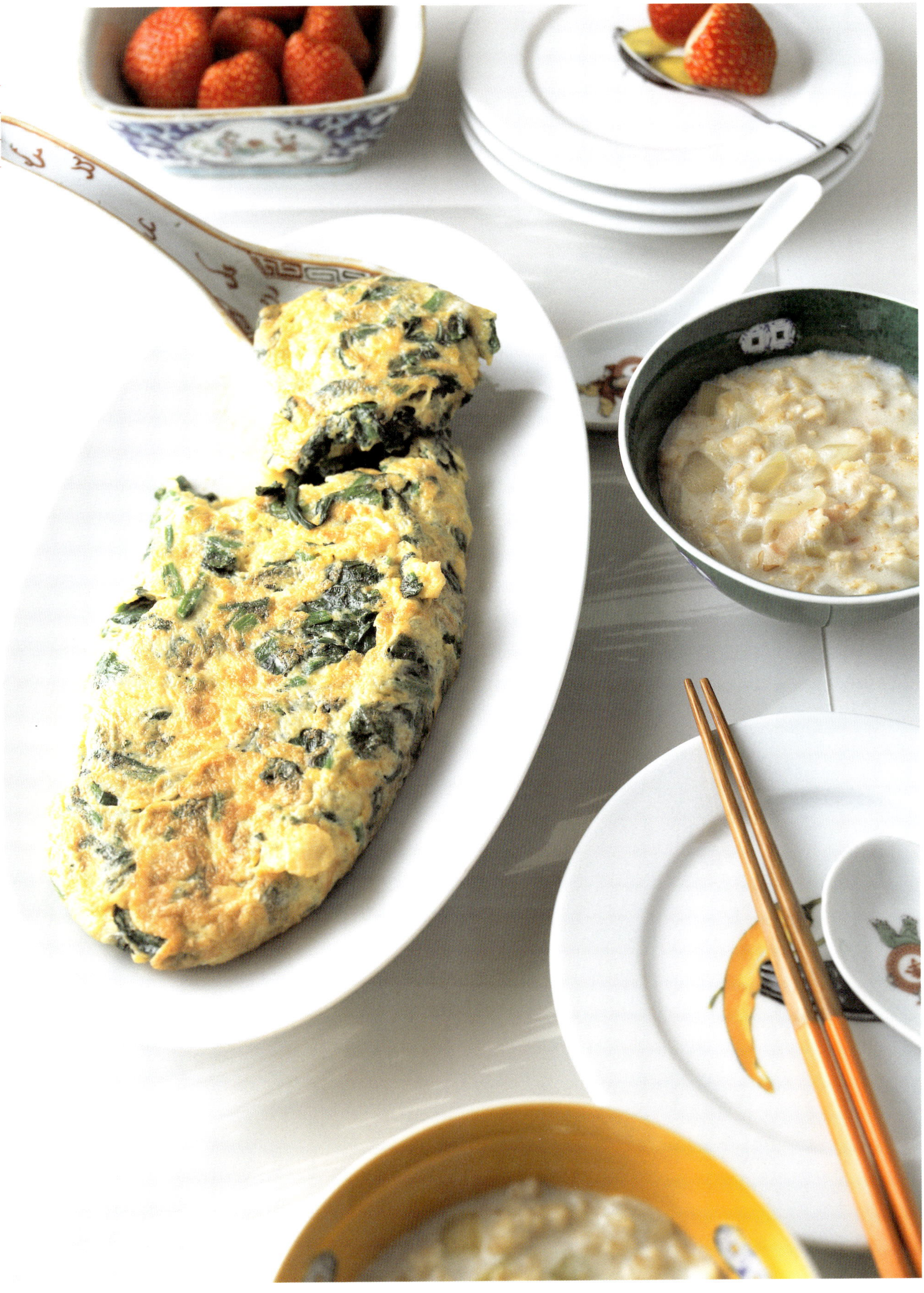

朝

土曜日のメニュー

土曜日は学校がなくとも、
子供たちはお稽古事、
遊びにとスケジュールはいっぱい。
1週間の疲れがどっと出てくる週末は、
野菜の力に頼ります。
飲みやすいスープは
いろいろな野菜でアレンジ可能。
さぁ、今日もお稽古がんばってね！

Menu
- ポテトのポタージュスープ
- キャベツとパイナップルのあえもの
- 目玉焼き
- クロワッサン

ポテトのポタージュスープ
151kcal 塩分0.8g

[材料]4人分
じゃが芋：2個（300g）
a ┌ 水：1カップ
　└ 顆粒ブイヨン：小さじ1
牛乳：1カップ
塩：小さじ1/5
こしょう：少量
生クリーム：1/4カップ

[作り方]
1. じゃが芋は皮をむいて一口大に切る。
2. 1をなべに入れ、aを加えて火にかけ、煮立ったらふたをし、弱火で6～7分煮る。
3. じゃが芋がやわらかくなったらつぶし、牛乳を加え、塩、こしょうで味をととのえる。ざるに移し、しゃもじなどでこす。
4. 再びなべに戻し入れ、生クリームを加えて弱火にかけ、なめらかにする。

わざわざこし器を用意しなくても、いつものざるで簡単にこせます。目のあらいものがおすすめ。

キャベツとパイナップルのあえもの
95kcal 塩分0.5g

[材料]4人分
キャベツ：1/2個（500g）
パイナップル（缶詰め）：300g
a ┌ 塩：小さじ1/3
　│ こしょう：少量
　└ ごま油：大さじ1

[作り方]
1. キャベツは一口大の乱切りにし、湯通しして水にさらし、水けを絞る。パイナップルは一口大に切る。
2. 1をボールに混ぜ入れ、aを加えてあえる。

目玉焼き
117kcal 塩分0.6g

[材料]4人分
卵：4個
サラダ油：大さじ1
塩：小さじ1/4
いり白ごま：大さじ1
水：大さじ2

[作り方]
1. フライパンに油を熱し、卵を1個ずつ割り入れる。水を加えてふたをし、2～3分（好みのかたさに調節する）蒸し煮にする。
2. 器に盛り、塩、ごまをふる。

かぼちゃのポタージュスープ
208kcal 塩分0.7g

スープは緑黄色野菜でおなじみのかぼちゃでもアレンジ可能。材料はかぼちゃ250g、水1/3カップ、生クリーム1/2カップにし、その他の材料はポテトのポタージュスープと同量で、手順も同様に作る。

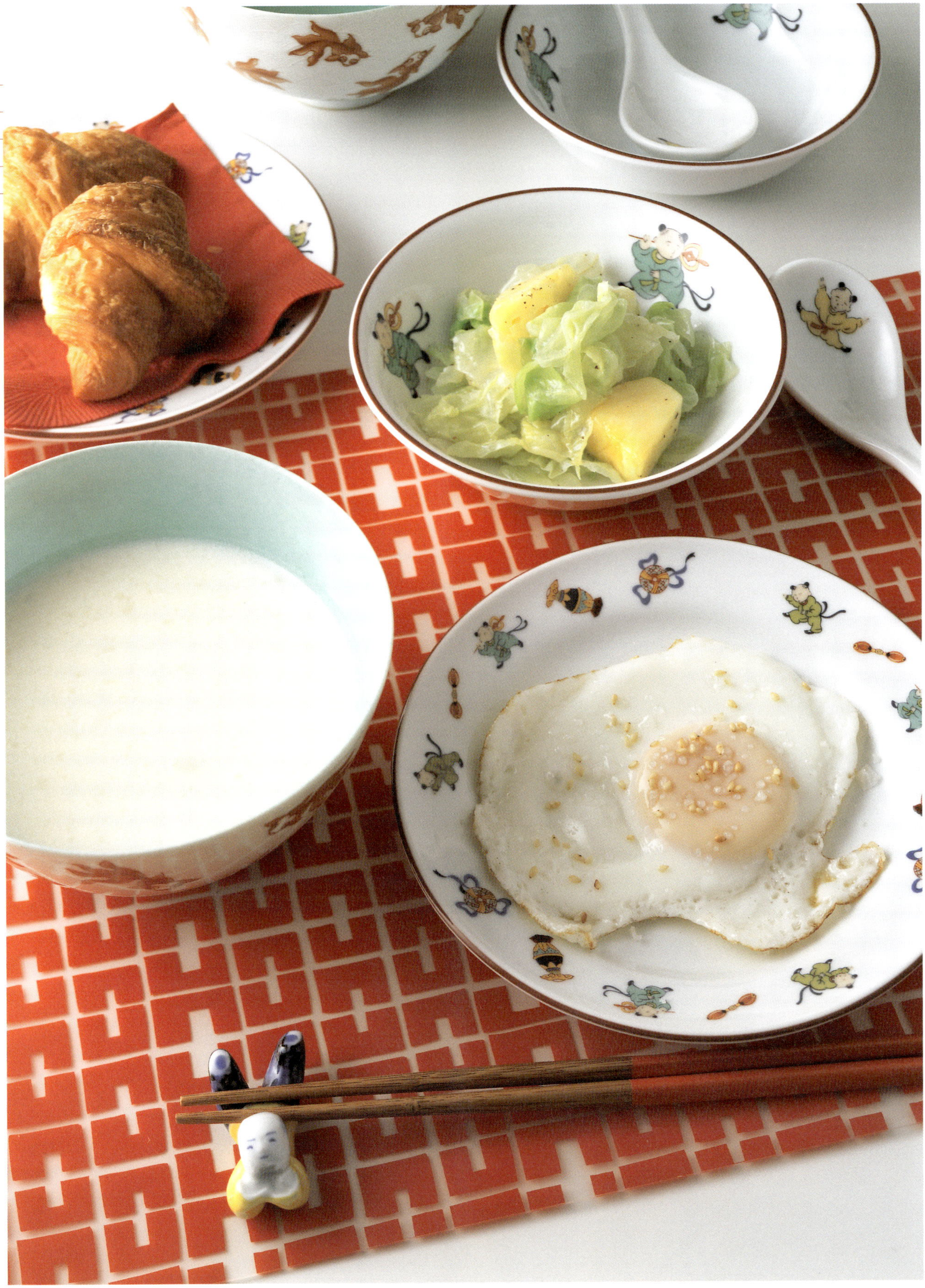

日曜日のメニュー

朝寝坊が許される日曜日だけは、わが家もゆったり。
時間も気にせず、おしゃべりをしながらの
楽しいブランチタイム。
缶詰めを使った簡単スープは
とろとろして飲みやすく、食欲も進みます。
今日はどこへ出かけましょう?!

Menu
中国風簡単コーンクリームスープ
レタスとクレソンのせん切りサラダ
アイスクリームのキウイフルーツがけ
レーズン入り食パン

中国風簡単コーンクリームスープ
144kcal 塩分1.0g
[材料]4人分
コーン缶詰め(クリームタイプ):1缶(250g)
水:2カップ
トマト:2個(400g)
塩:小さじ1/3
卵:2個
かたくり粉:大さじ1
水:大さじ2
ごま油:大さじ1
[作り方]
1 トマトは皮を湯むきし、一口大に切る。
2 なべにコーン、水、トマトを入れて火にかけ、煮立ったらなべ底にくっつかないように気をつけて3〜4分煮、塩を加えて味をととのえる。
3 2に水どきかたくり粉を加えてとろみをつけ、卵をといて加える。仕上げにごま油で香りをつける。

レタスとクレソンのせん切りサラダ
62kcal 塩分0.8g
[材料]4人分
レタス:1個(350g)
塩:小さじ1/2
きゅうり:2本(200g)
クレソン:1束(30g)
カレー粉:小さじ1
サラダ油:大さじ1 1/2
[作り方]
1 レタスは0.5cm幅のせん切りにし、塩をふってもみ、10分おいて水けを絞る。
2 きゅうりはせん切りにし、クレソンは3cm長さに切る。
3 ボールに1と2を合わせておく。
4 なべに油を熱してカレー粉を入れ、香りが出たら3にかけてあえる。

アイスクリームのキウイフルーツがけ
90kcal 塩分0.1g
[材料]4人分
アイスクリーム(市販品):120g
キウイフルーツ:200g
[作り方]
1 キウイは皮をむき、半分に切ってすりおろす。
2 器にアイスクリームを盛り、1をかける。

ブランチにもう一品ほしいときには、
簡単デザートはいかがでしょう。

オートミールのクレープ
402kcal 塩分1.1g
[材料]4人分
a ┌ オートミール:1カップ
  │ 小麦粉:50g
  │ ベーキングパウダー:小さじ1
  │ 卵:1個
  │ 牛乳:2カップ
  └ 塩:小さじ1/3
バター:50g
バナナ:1本(100g)
[作り方]
1 ボールにaを合わせ、泡立て器でよく混ぜる。
2 フライパンにバター1/4量をとかし、1の1/4量を流し入れ、弱火で両面を焼く。
3 長さを半分にし、さらに縦に2等分したバナナを2にのせて巻く。残り3個分も同様に作る。
★好みではちみつをかけてもよい。

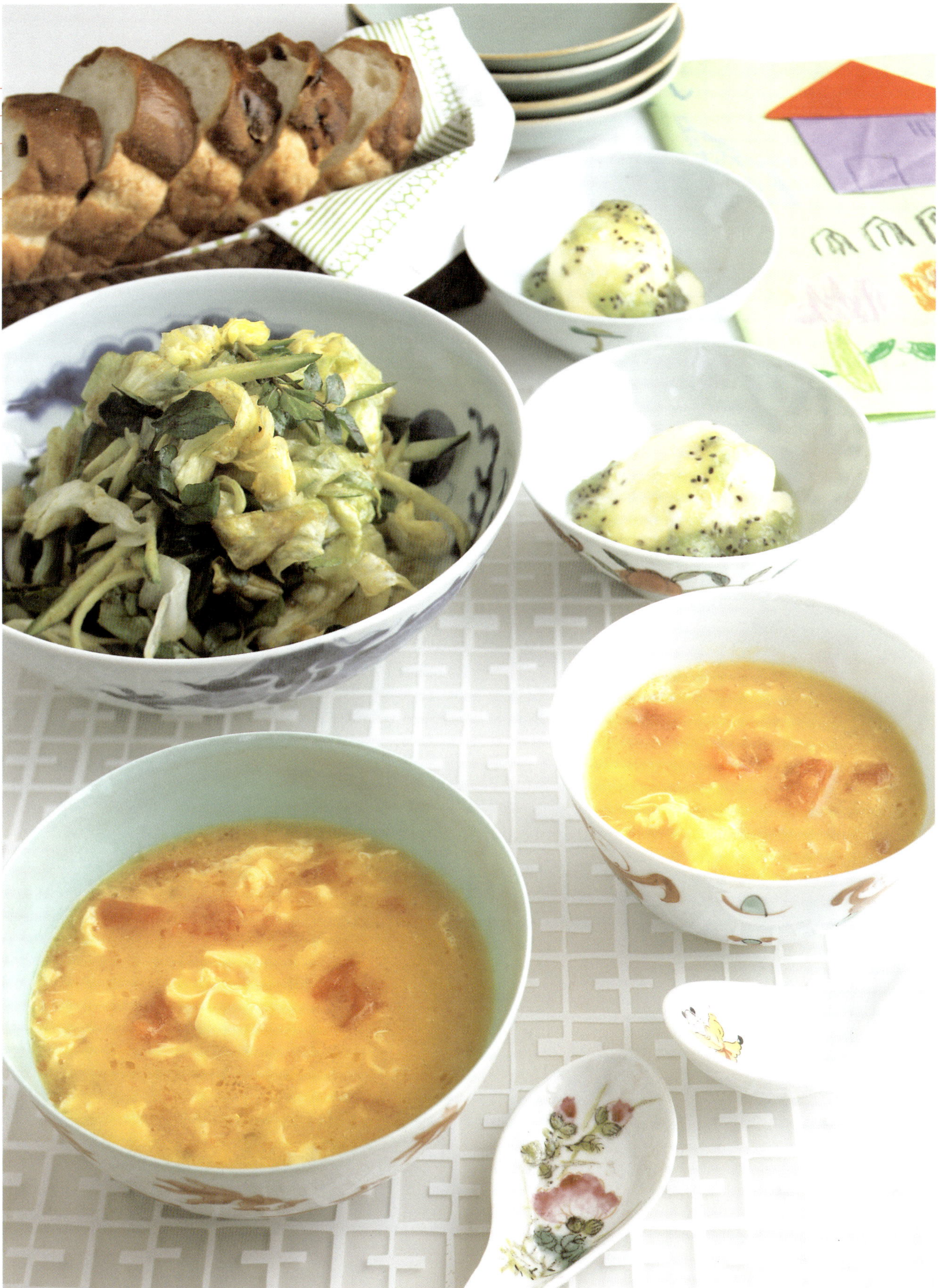

Colymn

朝ごはんのお助けマン常備菜をご紹介します。

ひじきと豚ひき肉のいため煮

ひじきはひき肉といっしょに煮ることで味がよくしみ込みます。白いごはんにかけるだけでも箸がすすむはず！

[材料] 4人分
長ひじき：30g
豚ひき肉：100g
サラダ油：大さじ2
a ┌ しょうが(みじん切り)：1かけ分
  │ 酒：大さじ2
  │ 砂糖：大さじ1/2
  └ しょうゆ：大さじ2
水：1/2カップ

[作り方]
① ひじきはたっぷりの水に30〜40分浸してもどし、水けを絞る。
② なべに油を熱し、ひき肉を入れていため、肉の色が変わったらaを順に加えて調味し、①を入れていため合わせる。
③ ②に水を加え、煮立ったら落としぶたをし、汁けがなくなるまで10〜12分ほど煮る。

132kcal 塩分1.7g (1/4量)

140kcal 塩分0.7g (1/4量)

Arrange ★アレンジ
ひじき入りオムレツ

159kcal 塩分0.8g

[作り方] 1人分
① ボールに卵1個を割りほぐし、ひじきと豚ひき肉のいため煮大さじ1を加え混ぜる。
② フライパンに油小さじ1を熱し、①を入れて大きく混ぜながら火を通し、半熟状になったら卵を包むようにして手早く形を整える。

作りおきの常備菜があれば、時間のない朝ごはんにとても便利です。いろいろとアレンジができるおすすめのおかず3品をご紹介します。食物繊維にカルシウム、朝ごはんでとりたい栄養素も備えてますよ。

切り干し大根と油揚げのいため煮

うす味でやさしい味わい。
切り干し大根は水で
充分にもどしましょう。

[材料] 作りやすい分量
切り干し大根：30g
油揚げ：1枚(50g)
サラダ油：大さじ2
a ┌ 鶏がらスープのもと：小さじ1
  │ 水：1カップ
  │ 酒：大さじ2
  └ 塩：小さじ1/5
すり白ごま：大さじ1

[作り方]
1 切り干し大根は水に浸してもどし、水けを絞る。油揚げは熱湯をかけて油抜きをし、せん切りにする。
2 なべに油を熱し、油揚げ、切り干し大根の順に入れていためる。aを加え、煮立ったら落としぶたをし、弱火で20分煮、すりごまをまぶす。

じゃこのカリカリいため

カリッと香ばしいじゃこは
カルシウムたっぷり。
子供たちの骨や歯が
じょうぶなのはこの常備菜の
おかげでしょう。

[材料] 4人分
ちりめんじゃこ：100g
サラダ油：大さじ4
a ┌ 酒：大さじ2
  │ 酢：大さじ2
  │ 砂糖：小さじ1
  └ しょうゆ：大さじ1

[作り方]
なべに油を熱し、ちりめんじゃこを入れてカリカリになるまでいため、aを順に加えて調味する。

171kcal 塩分2.3g (1/4量)

Arrange ★アレンジ
切り干し大根のレタス包み

95kcal 塩分0.4g

[作り方]
切り干し大根と油揚げのいため煮一口分をレタスにのせ、包んで食べる。

Arrange ★アレンジ
カリカリじゃこおにぎり

248kcal 塩分0.4g

[作り方]
茶わん一杯の温かいごはんに、じゃこのカリカリいため大さじ1を加えてさっくりと混ぜる。手のひらに少量の水をつけ、ごはんをのせて三角形に握る。

じょうぶで元気な子供を

2 白米プラス雑穀で栄養満点！体によい炊き込みごはん

子供は毎日成長しています。ですから、
何もしていなくてもエネルギーは必要なのです。
「ママ、おにぎりが食べたい！ おやつ！！」
子供たちはおなかがすくとすぐそういいます。
（けっして野菜を食べたいとはいいませんね）。
おにぎりは定番のおやつなのです。
このようにわが家では、子供たちには絶対ごはんを
食べさせます。栄養よりまずエネルギーでしょう。
とはいっても、小さいうちはあまり量が食べられませんので、
できる限り栄養のあるものを食べさせてあげたいのです。
ごはんの栄養は吸収しやすいものですし、
じょうずにとり入れることがたいせつです。
わが家では1週間のうちに4〜5日は、
雑穀などを入れたごはんを食べさせています。
雑穀の中には、白米だけではとりきれない、
人間にとって必要な栄養素がたくさん含まれています。
調理がめんどうだとか、あまりおいしくないとか
敬遠される方もいらっしゃいますがそんなことはありません。

育てるもとはごはん

白米といっしょに炊き込みごはんや
混ぜごはんにして変化をつけると、とてもおいしく、
楽しい味になります。
子供たちは雑穀を入れたごはんを
「ママ、今日は体によいごはん？」といいます。
体のどこに、何によいのかはまだ理解できなくても、
「体によい」ということを小さいうちから教えましょう。
自分の体を大事にする習慣が身につき、
自分の体のことがわかるようになります。

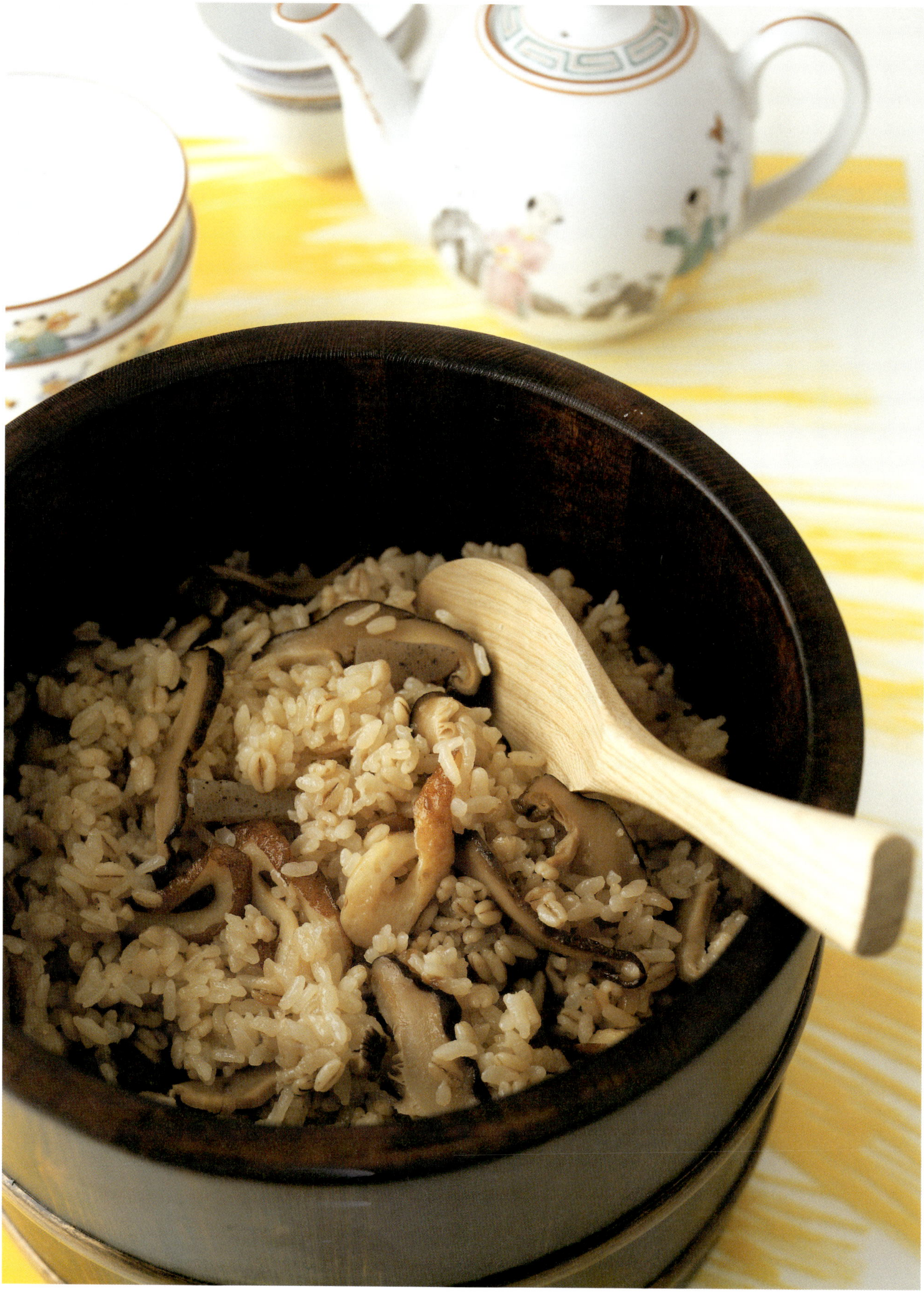

押し麦

原料は大麦。大麦を蒸気で加熱し、ローラーで圧縮したもの。粒の真ん中にふんどしと呼ばれる黒い筋があるのが特徴。麦飯用としてよく利用される。穀類の中でも特に食物繊維が豊富で、白米のおよそ20倍もある。

押し麦入り炊き込みごはん
420kcal 塩分2.6g

プチプチとしたかみごたえのある
押し麦はアルカリ性の雑穀。
腸内を正常に保ち、疲れも解消します。
しょうゆだしの懐かしい味わいです。

[材料]4人分
米：2合
押し麦：1合
干ししいたけ：4枚
ちくわ：150g
こんにゃく：100g
a ┌ だし：3½カップ
　├ 酒：大さじ1
　├ しょうゆ：大さじ2
　└ 塩：少量

[作り方]
1 米は洗い、ざるにあげて水けをきり、30分おく。
2 干ししいたけは水につけてもどして、水けをきって薄切りにする。ちくわ、こんにゃくは、それぞれせん切りにする。
3 炊飯器に米と押し麦を入れて2とaを加え、普通に炊く。炊き上がったら蒸らして、全体をさっくりと混ぜる。

雑穀の買い方

雑穀が注目されるようになり、現在では一般のスーパーなどでもよく売られています。一度にたくさんの量を使うわけではないので、なるべく小さい袋のものを買って使いきりましょう。

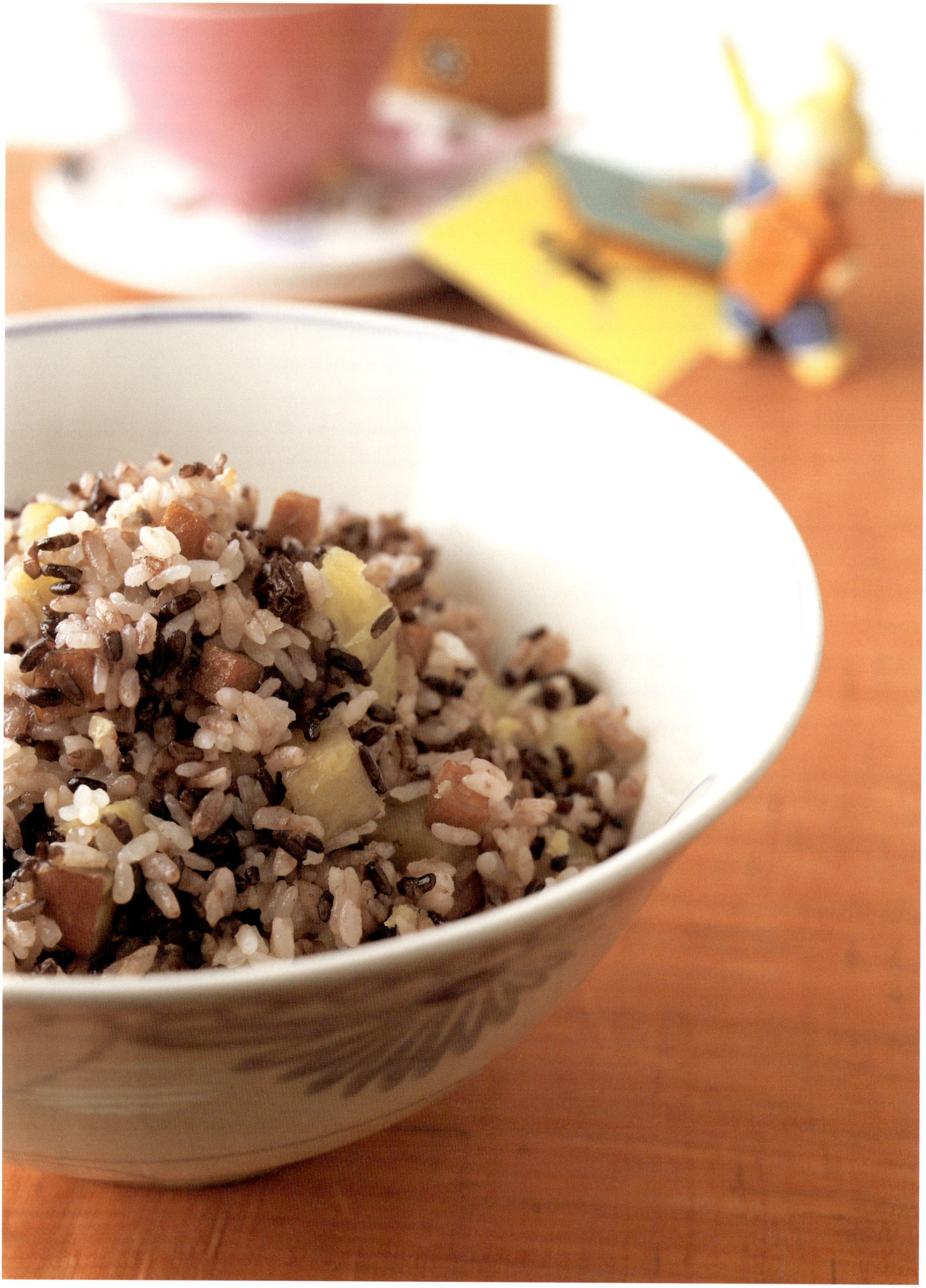

黒米

もち米の一種。米のルーツでもある古代米として注目されている。表皮にアントシアニン系色素が含まれるため、活性酸素をおさえる作用もある。白米に混ぜて使う量によってピンク色や紫色の仕上がりにもなる。

さつま芋と
ドライソーセージの
黒米入り炊き込みごはん

521kcal 塩分0.9g

古くから貴重なお米とされていた黒米は
「薬米」の別名を持つほど。
鉄やカルシウムも多く含むので
成長期の子供にはもってこい。
さつま芋の甘さで子供たちの大好きな味に。

[材料]4人分
米：2⅓合
黒米：⅔合
ドライソーセージ：50g
レーズン：30g
さつま芋：150g
a ┤ 水：3⅓カップ
　　酒：大さじ2
　　塩：小さじ⅓

[作り方]
1 米と黒米はそれぞれ分けて洗い、30分浸水させ、ざるにあげて水けをきる。
2 さつま芋はところどころ皮をむき、1cm角に切る。ドライソーセージは0.5cm角に切り、レーズンはさっと洗って水けをきる。
3 炊飯器に米と黒米を入れて2とaを加え、普通に炊く。炊き上がったら蒸らして、全体をさっくりと混ぜる。

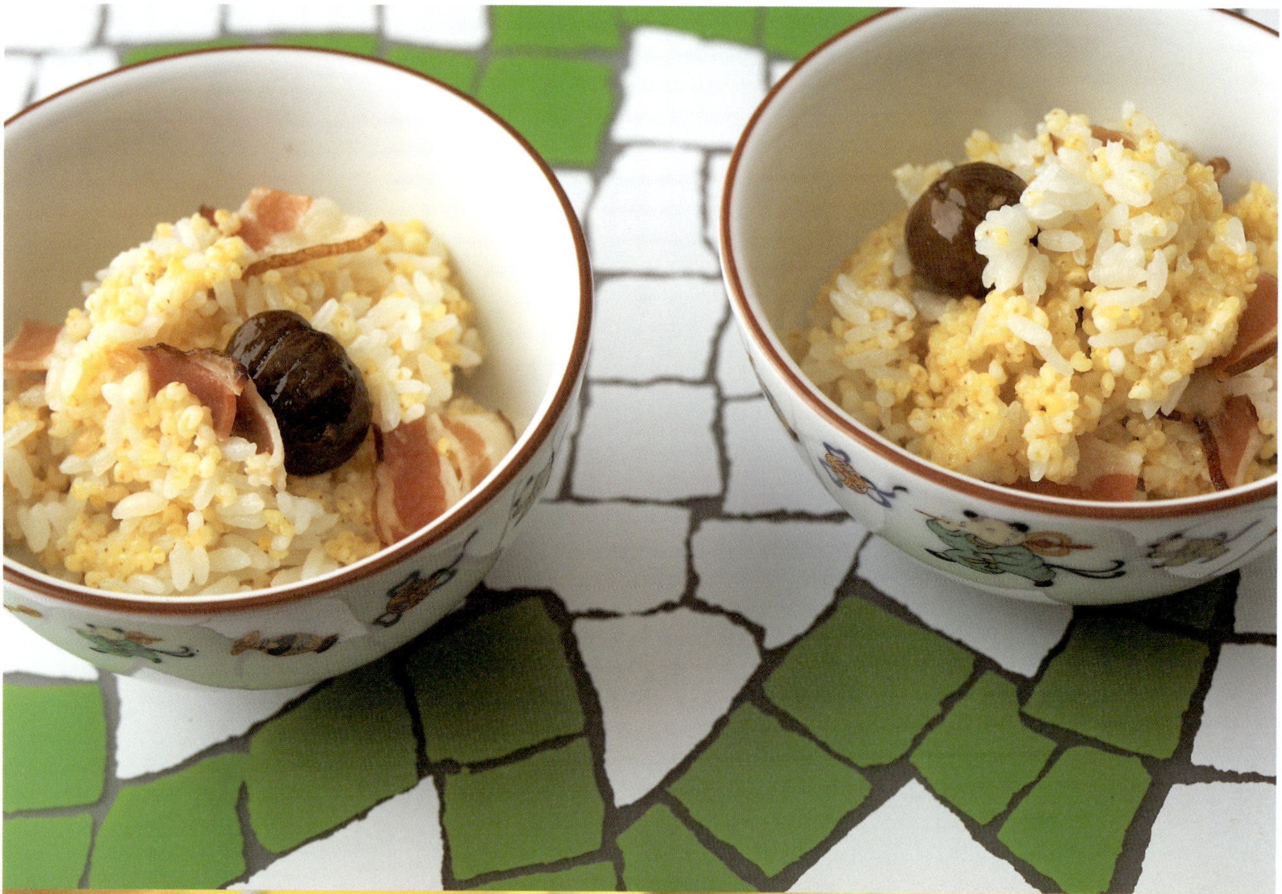

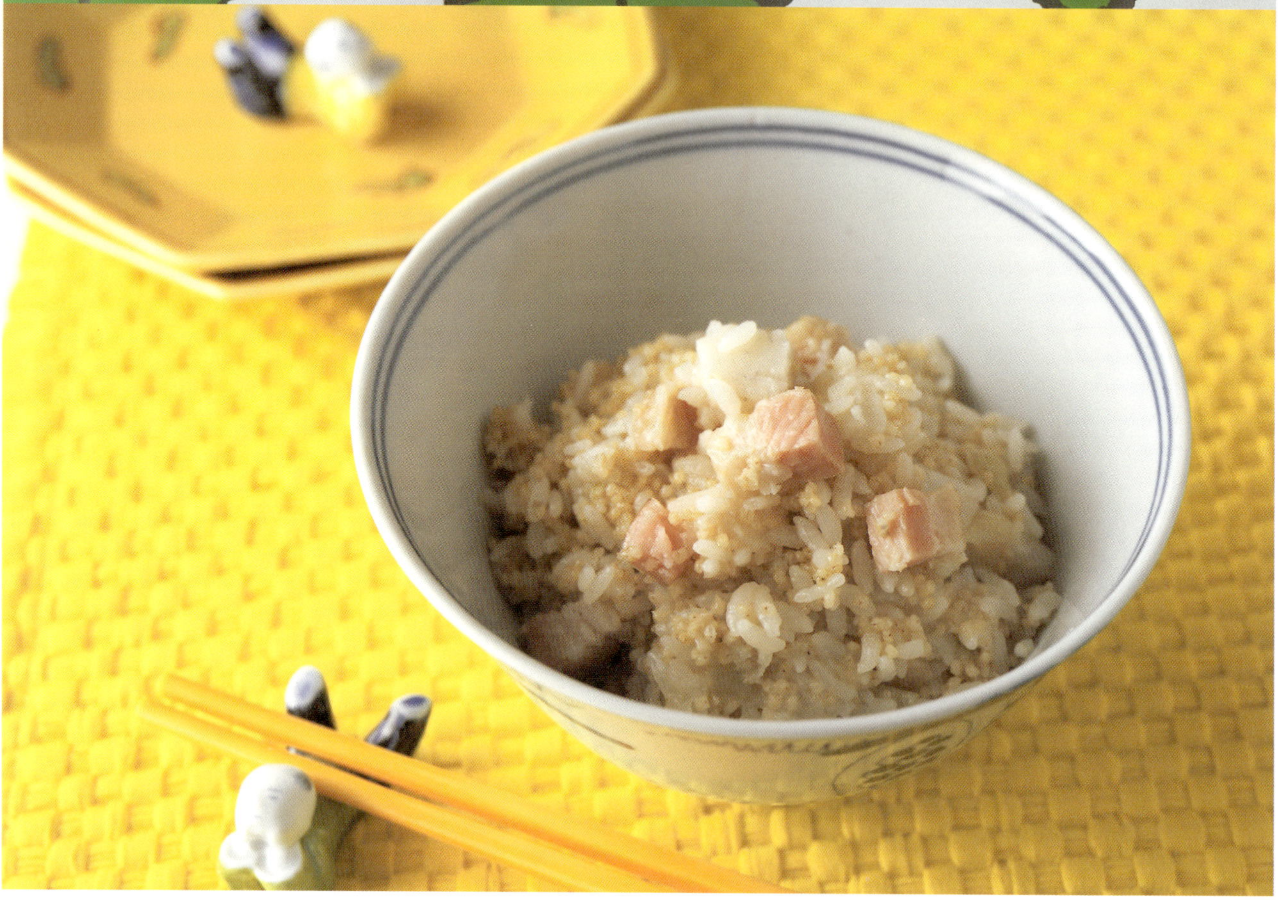

きび

あわ

ともにイネ科に属し、五穀の中に数えられる。きびとあわは特徴がよく似ているが、粒はあわのほうが小さい。うるち種ともち種があるが、現在はおもに粘りのあるもち種が多い。栄養価が高く、特に鉄とビタミンB1が豊富。

甘栗とベーコンの きび入り炊き込みごはん (写真上)

572kcal 塩分0.6g

もちもちした食感のきびと、
うま味の出る甘栗を組み合わせて。
淡黄色のきびは彩りも
かわいい仕上がりです。

[材料] 4人分
白米：1½合
きび：1½合
ベーコン：4枚（70g）
甘栗：100g
a ｛水：3カップ弱
　 鶏がらスープのもと：小さじ½
b ｛塩：ひとつまみ
　 酒：大さじ2

[作り方]
1. 米ときびはそれぞれ分けて洗い、ざるにあげて水けをきり、30分おく。
2. 甘栗は皮をむき、ベーコンは2cm長さに切る。
3. 炊飯器に米ときびを入れて 2 と a 、 b を加え、普通に炊く。炊き上がったら蒸らして、全体をさっくりと混ぜる。

里芋とハムの あわ入り炊き込みごはん (写真下)

464kcal 塩分0.3g

消化不良にも効果的なあわと、
胃腸に負担のかからないでんぷん質の里芋で、
組み合わせは最高。
コンソメ風味で味もやさしく。

[材料] 4人分
白米：2合
あわ：1合
里芋：4個（150g）
ハム：100g
玉ねぎ：1個
サラダ油：大さじ2
a ｛水：3カップ
　 顆粒ブイヨン：½個

[作り方]
1. 米とあわはそれぞれ洗い、ざるにあげて水けをきり、30分おく。
2. 里芋は皮をむいて1cmの角切りにする。ハムは1cmの角切りにする。
3. なべに油を熱し、みじん切りにした玉ねぎを入れて、かさが½量ほどになるまでじっくりといためる。
4. 炊飯器に米とあわを入れて 2 、 3 、 a を加え、普通に炊く。

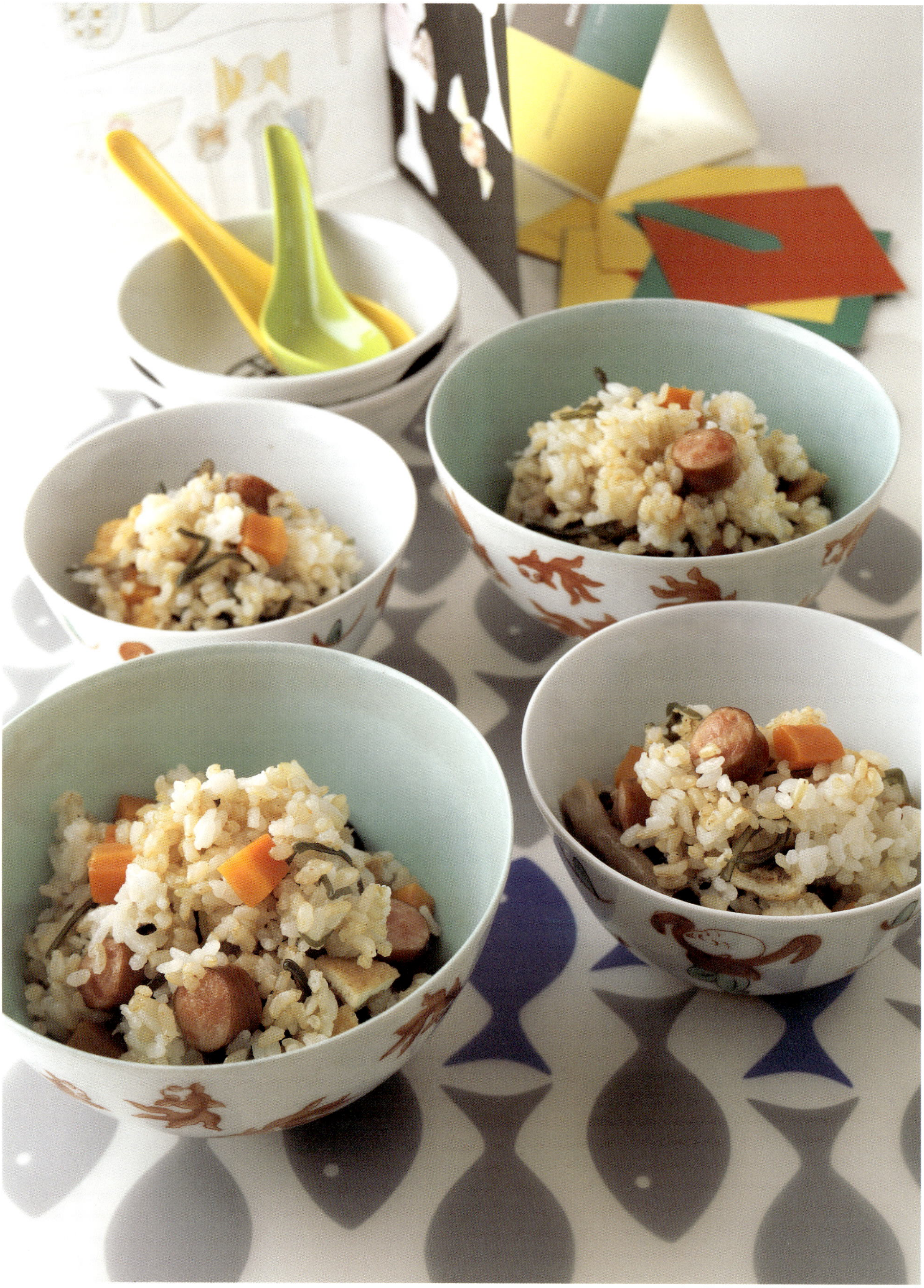

玄米

稲の外側のもみ殻を除いたもの。ぬか層はビタミン、ミネラル、食物繊維などに富むが、消化しにくい部分でもあるので、よくかんで味わいながら食べるとよい。

具だくさん玄米入り炊き込みごはん

548kcal 塩分1.2g

あらゆる栄養価に優れた玄米は
雑穀人気の火付け役。
前の晩から水につけておくと、
よりいっそうもちっとおいしく炊けます。
味の出る具材を選んで。

[材料]4人分
白米：1½合
玄米：1½合
油揚げ：2枚(80g)
ウインナソーセージ：4本(80g)
にんじん：1本(150g)
しめじ：1袋(100g)
a ┌ 糸昆布：10g
　├ 水：3⅓カップ
　├ 酒：大さじ2
　└ 塩：小さじ⅓

[作り方]
1 米と玄米はそれぞれ分けて洗い、30分浸水させ、ざるにあげて水けをきる。
2 油揚げは熱湯をかけて油抜きをして1cm角に切り、ソーセージは1cm幅に切る。
3 にんじんは皮をむいて1cm角にし、しめじは石づきを除いて小房に分ける。
4 炊飯器に米と玄米を入れ、2、3、a を加え、普通に炊く。
5 炊き上がったら蒸らして、全体をさっくりと混ぜる。

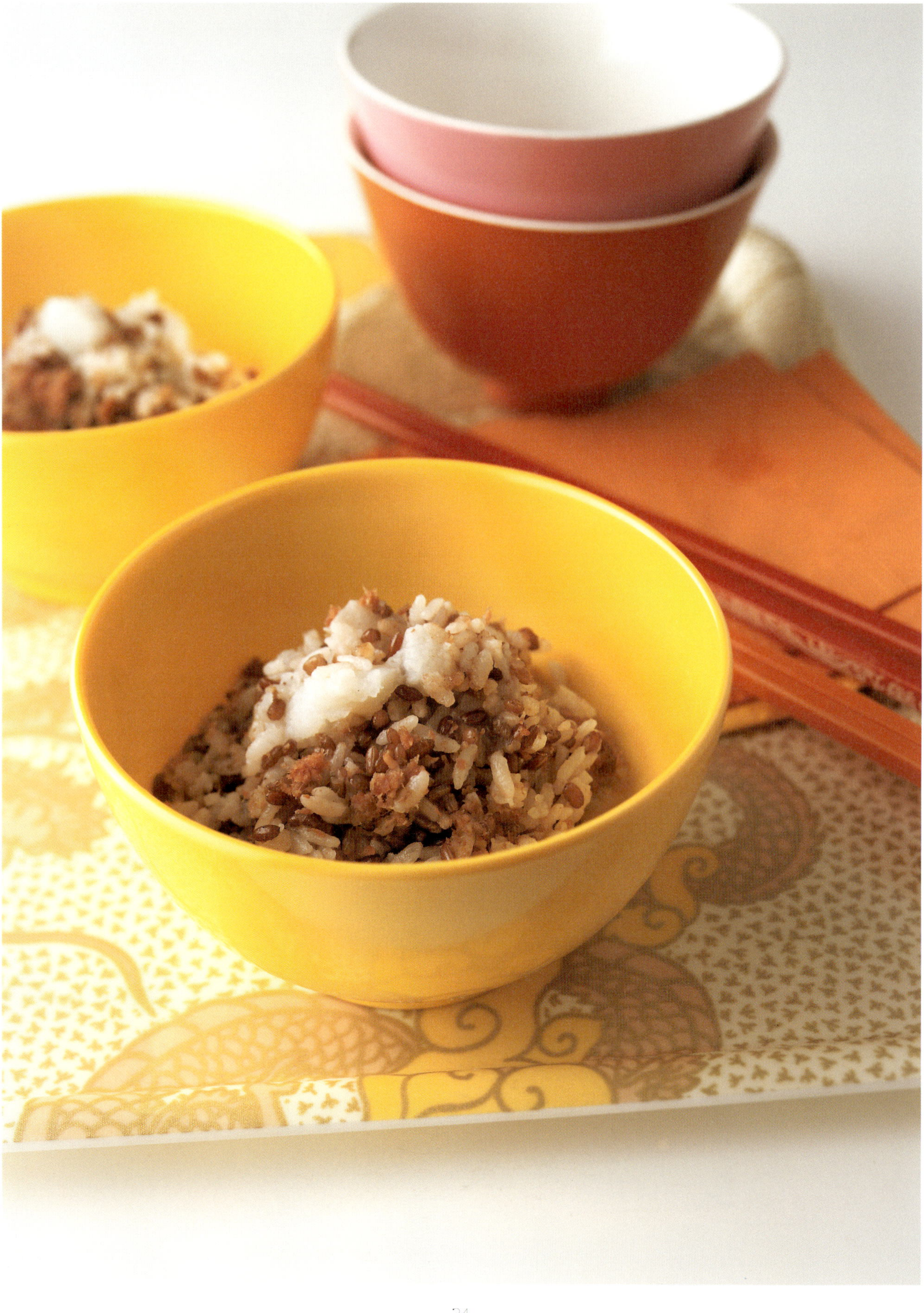

赤米

黒米と同じく古代米。表皮には赤色の色素であるタンニンを含む。たんぱく質が豊富で、食物繊維、ビタミンB1、マグネシウムなども多く含まれる。日本米のルーツという説もある。

長芋とコンビーフの赤米入り炊き込みごはん

480kcal 塩分1.0g

中国ではぬるぬるしたものが
体にもよいとされます。
長芋は特にかぜや肺炎を予防する効果も。
ぱらりとした赤米に
長芋がからんで食べやすいですよ。

[材料]4人分
白米：2合
赤米：1合
コンビーフ：150g
長芋：100g
粒黒こしょう：20粒
a ┤水：3½カップ
　 白ワイン*：大さじ3
　 塩：少量
＊白ワインの代わりに酒でもよい。

[作り方]
1 米と赤米はそれぞれ分けて洗い、30分浸水させ、ざるにあげて水けをきる。
2 コンビーフはほぐし、長芋は皮をむいて1cm角に切る。粒こしょうはクッキングペーパーに包んで、すりこ木などでたたきつぶす。
3 炊飯器に米と赤米を入れ、2、aを加え、普通に炊く。
4 炊き上がったら蒸らして、全体をさっくりと混ぜる。

Column

炊き込みごはんを定番メニューでもっと食べやすく

＊甘栗とベーコンのきび入り炊き込みごはん
（30ページ参照）を使って

きびごはんのカレー

640kcal 塩分2.3g

[材料] 4人分
甘栗とベーコンのきび入り炊き込みごはん：
　800g
豚こま切れ肉：150g
にんにく（薄切り）：1かけ
じゃが芋：2個（250g）
にんじん：1本（150g）
玉ねぎ：1個（250g）
サラダ油：大さじ1　水：2カップ
牛乳：1カップ
カレールー（市販品・甘口）：4人分

[作り方]
1. じゃが芋、にんじん、玉ねぎはそれぞれ皮をむいて1cmの角切りにする。
2. いためなべに油を熱して豚肉を入れていため、肉の色が変わったらにんにくを入れ、1を加えてさっといためる。水を注ぎ、煮立ったらアクを除いてふたをし、弱火で10分ほど煮る。
3. 2に牛乳とカレールーを加えて入れ、味をととのえる。

＊長芋とコンビーフの赤米入り炊き込みごはん
（34ページ参照）を使って

赤米の簡単チャーハン

401kcal 塩分0.7g

[材料] 2人分
長芋とコンビーフの赤米入り炊き込みごはん：
　320g
卵：2個
サラダ油：大さじ1
塩・こしょう：各少量

[作り方]
1. 卵はボールに割り入れてほぐしておく。
2. いためなべに油を熱し、1を流し入れて手早くかき混ぜながらいためる。
3. 卵が完全に固まったら、ごはんを加えてしっかりといため、塩、こしょうで味をととのえる。
★チャーハンをおいしく仕上げるポイントは、必ず2人分の分量にしていためること。

たくさん炊いて残ってしまった炊き込みごはん。もうひと手間加えるだけで簡単にアレンジができます。また違った味の楽しみ方ができますよ。定番メニューですが、子供たちも喜んで食べてくれます。

＊押し麦入り炊き込みごはん
（26ページ参照）を使って
押し麦ごはんの山芋どんぶり
414kcal 塩分0.9ｇ
[材料] 4人分
押し麦入り炊き込みごはん：800ｇ
長芋：200ｇ
a ┬ めんつゆ（市販品）：大さじ1½
　├ しょうゆ：大さじ1
　├ 酢：大さじ½
　├ ごま油：大さじ2
　└ 水：½カップ
[作り方]
1 長芋は皮をむいてすりおろし、a を加え合わせる。
2 器にごはんを盛って1をかける。

＊里芋とハムのあわ入り炊き込みごはん
（30ページ参照）を使って
あわごはんのドライカレー
501kcal 塩分1.2ｇ
[材料] 4人分
里芋とハムのあわ入り炊き込みごはん：800ｇ
牛豚ひき肉：150ｇ
玉ねぎ：1個（250ｇ）
油：大さじ2
a ┬ カレー粉：大さじ4
　├ 酒：大さじ4
　├ しょうゆ：大さじ1
　├ オイスターソース：大さじ1
　└ 水：大さじ2
[作り方]
1 玉ねぎはみじん切りにする。
2 いためなべに油を熱し、ひき肉を入れていため、水分がなくなってきたら1の玉ねぎを加えていためる。
3 全体に水分がなくなってきたら、a を加えて味をととのえる。
4 器にごはんを盛り、3をかける。

どこのご家庭も忙しい毎日をお過ごしでしょう。
家族がそろって食卓につき、ゆっくり会話ができるのは、
やはり夕食や休日だと思います。
わが家の夕食は、毎日がお正月のようににぎやかです。
一日あった出来事をそれぞれがよく話をします。
よい出来事はみんなで盛り上がり、
いやなことがあったときには、
逆にみんなで分担してすっきりさせます。
「幸せは数倍に、悲しみは数分の1に！」
これがわが家のモットーです。こうした場をつくるには、
やっぱり食卓がいちばん。みんながリラックスできる
夕食の会話タイムは、とても楽しみな時間です。
メニューは、毎日なるべく変化をつけてあげたいものです。
まずは一日のおもな栄養を担う、
たんぱく質を中心に考えます。
みんなの体調がよく、元気であれば肉類、
まあまあであれば魚介類、
そうでない場合にはお豆腐を中心に考えます。

3 たんぱく質をじょうずにとり入れて

元気なとき、パワーの出る食べ物は、
相乗効果もあってよいのですが、
体が弱っているときには、
かえって逆効果になってしまいます。
そんなときには、なるべく胃に負担のかからないものを選びます。
夕食は家族の全員集合の時間です。
メニューが話題の中心になります。
ある日、息子がめずらしく
「今日は試験で100点をとったよ！」
といい出したことがありました。
たまたま、まぐれでとっただけなのですが、
私は「お魚を食べたからよ」と答えてあげました。
食べ物は、体だけでなく精神をつくることも
教えてあげたかったのです。
「明日は運動会！」「じゃあ、今日はお肉の日ね！」
わが家の夕食は、いつもそんな会話でいっぱいです。

レパートリー豊かな献立に
家族の絆をつくる わが家の夕食卓

卵 を主菜に 1

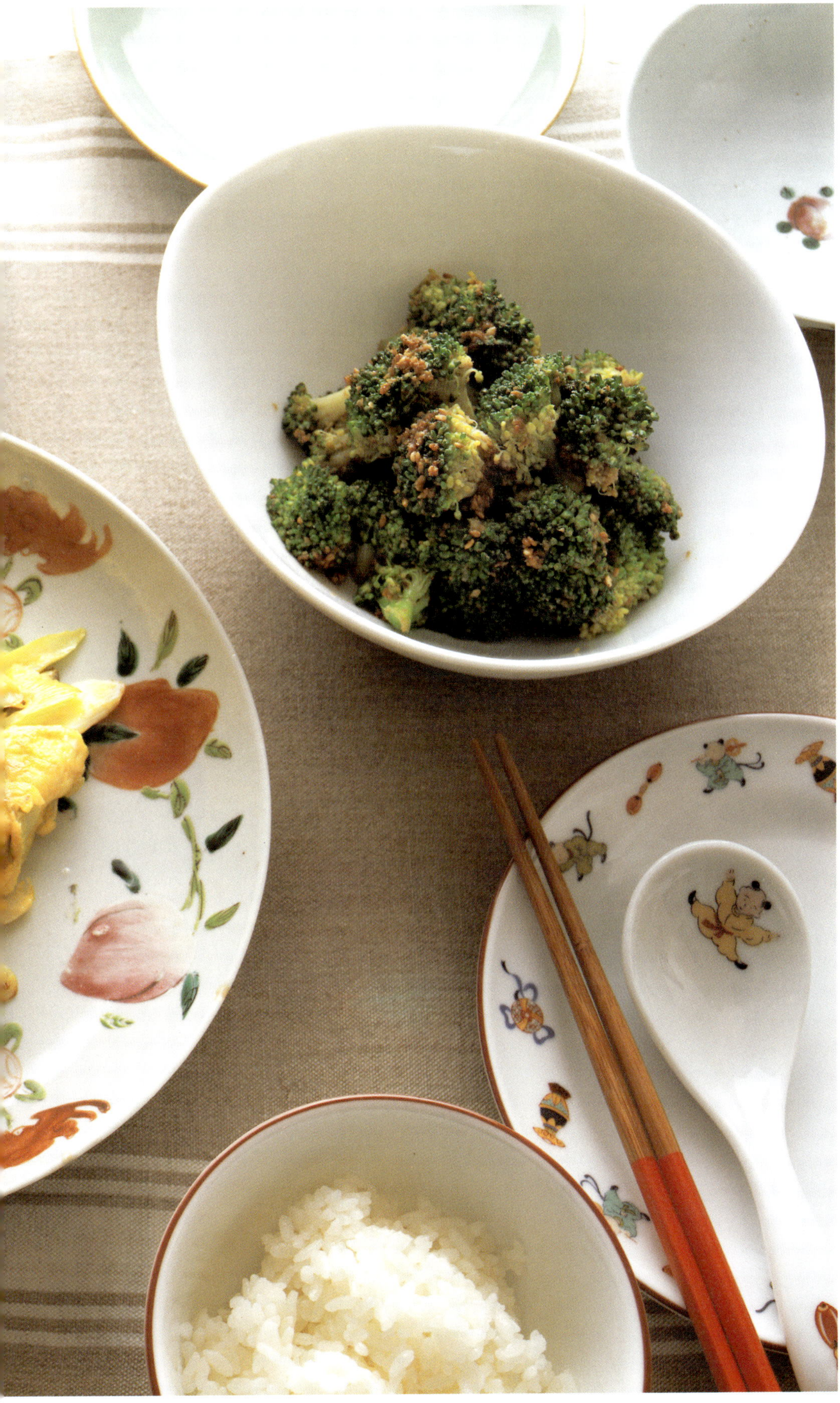

卵を主菜に 1

献立の基本はたんぱく質がメーンの主菜、
野菜たっぷりの副菜、
その他のバランスを考えた
体にやさしい汁物、それにごはん。
卵は良質のたんぱく質源で
いっしょにカルシウムや
ビタミンも含みます。
わが家ではいつも
宝のように重宝しています。

Menu
卵とねぎの塩いため
榨菜ときのこのスープ
ブロッコリーのごまあえ

卵とねぎの塩いため
167kcal 塩分0.7g

卵のふんわり感が決め手の料理です。
ねぎを細かく切ってしっかりいためれば、
甘味が出て子供も食べやすくなります。

[材料]4人分
卵：4個
ねぎ：1本
サラダ油：大さじ3
a ┌ 酒：大さじ1
　├ 塩：小さじ1/3
　└ こしょう：少量

[作り方]
1 ねぎは大きく斜め薄切りにする。
2 ボールに卵を割り入れ、**a**を加えてよくほぐし、1を加えてさらに混ぜ合わせる。
3 なべに油を熱し、2を流し入れ、菜ばしで大きく混ぜ合わせながらゆっくりといため（写真A）、固まってきたら4等分に切り分ける（写真B）。
4 さらに固まり、焼き目がついてきたらフライ返しなどで裏返し、軽く押して弾力があれば火を消す。（写真C）

副菜

榨菜ときのこのスープ
87kcal 塩分2.1g

豚肉入りで力がつくスープ。
食物繊維たっぷりでおなかもすっきり！

[材料]4人分
榨菜：50g
えのきたけ：1袋（100g）
豚ひき肉：100g
サラダ油：大さじ½
a ｛酒：大さじ1
　　しょうゆ*：大さじ½
　　水：4カップ
｛かたくり粉：大さじ1
　水：大さじ2
＊しょうゆは榨菜の塩加減をみて量を調節する。

[作り方]
① 榨菜はあらみじん切りにし、えのきたけは石づきを除いて半分に切る。
② なべに油を熱し、豚ひき肉を入れて色が変わるまでいため、**a**を加えていため合わせる。
③ ②に榨菜、えのきたけも加えていためて、火が通ったら水を注ぎ、煮立ったら弱火にして3～4分煮る。水どきかたくり粉を加えて、とろみをつける。

ブロッコリーのごまあえ
80kcal 塩分0.5g

副菜に青い野菜は欠かせません。
野菜はほうれん草や小松菜でも。

[材料]4人分
ブロッコリー：1個
いり白ごま：大さじ4
砂糖：大さじ½
しょうゆ：大さじ⅔

[作り方]
① ブロッコリーは小房に切り分け、塩少量を加えた沸騰湯でゆで、水にさらして水けをよくきる。
② すり鉢でごまをあらめにすり、砂糖、しょうゆを加えて混ぜ合わせ、①をあえる。

卵を主菜に 2.

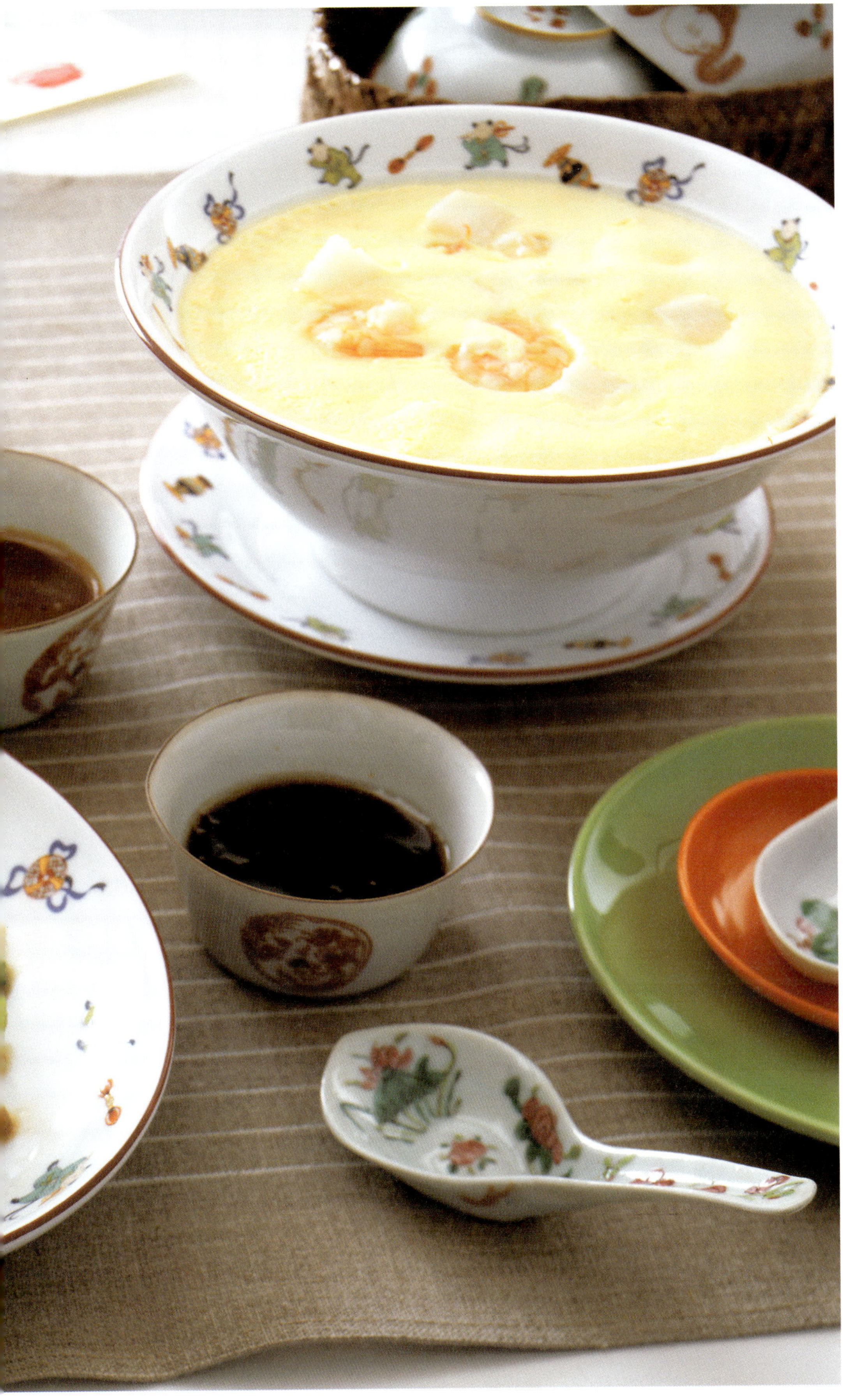

卵を主菜に 2.

卵を主菜と汁物に
考えた献立です。
茶わん蒸しの中にも
エビと長芋を加えて
ボリュームアップ。
主菜にもなるいためものは、
オイスターソースのこくで
青梗菜がとてもおいしく
食べられます。

Menu
大鉢茶わん蒸し
青梗菜と豚肉のオイスターソースいため
にんじんのせん切りサラダ

大鉢茶わん蒸し

子供用：141kcal 塩分1.8g　大人用：140kcal 塩分1.6g

わが家の茶わん蒸しは、みんなで
とり分ける大鉢タイプ。
定番の味には中国風だれで
少し変化をつけています。
子供用、大人用それぞれ
好みのものをどうぞ。

[材料]4人分
卵：4個
むきエビ：100g
長芋：150g
a ｛ 鶏がらスープのもと：小さじ½
　　水：小さじ½
塩：小さじ⅕
酒：大さじ1
●子供用だれ
しょうゆ：大さじ1½
酢：大さじ1
ごま油：大さじ½
●大人用だれ
酢：大さじ1
豆板醤：大さじ½
しょうゆ：大さじ½
ごま油：大さじ½

[作り方]
1 ボールに卵を割り入れ、よくほぐしておく。
2 1 に a を加え、よくかき混ぜてからざるなどに通してこす。
3 むきエビは背わたを除き、水で洗って水けをきる。長芋は皮をむいて1cmの角切りにする。
4 耐熱の大鉢茶わんにむきエビ、長芋を入れ、2 を注ぐ。しっかりと蒸気の上がった蒸し器に入れ（写真下）、強火で10分蒸し、さらに弱火にして10分蒸す。
5 器にとり分け、合わせ混ぜたたれを食べるときにかける。

副菜

青梗菜と豚肉のオイスターソースいため
245kcal 塩分1.0g

青梗菜はビタミン類やカルシウムも
多く含む優秀食材。
子供たちも、いつにも増して
ごはんが進む一品です。

[材料]4人分
青梗菜：2株(250g)
豚こま切れ肉：100g
ねぎ：10cm
サラダ油：大さじ1
酒：大さじ1
a ┌オイスターソース：大さじ1
　└しょうゆ：小さじ1

[作り方]
1 青梗菜は1.5cm長さに切り、塩ひとつまみをふってしんなりとさせる。
2 豚肉は一口大に切り、ねぎは斜め薄切りにする。
3 なべに油を熱し、豚肉を入れていため、肉の色が変わったら酒を加えてなじませ、ねぎを加えていためる。
4 3にaを加え、肉にしっかり味がついたら1を加えていため合わせ、しんなりとしたら火を消す。

にんじんのせん切りサラダ
87kcal 塩分0.8g

シャキシャキとした冷たい副菜。
中国でにんじんは
子供のおやつにも使う定番。

[材料]4人分
にんじん：2本(300g)
ピーナッツバター：大さじ3
塩：小さじ1/5

[作り方]
1 にんじんは皮をむいて細長いせん切りにし、沸騰湯でさっとゆで、水にさらして水けをきる。
2 ピーナッツバターに塩を加えて練り混ぜ、1をあえる。

魚介を主菜に 1

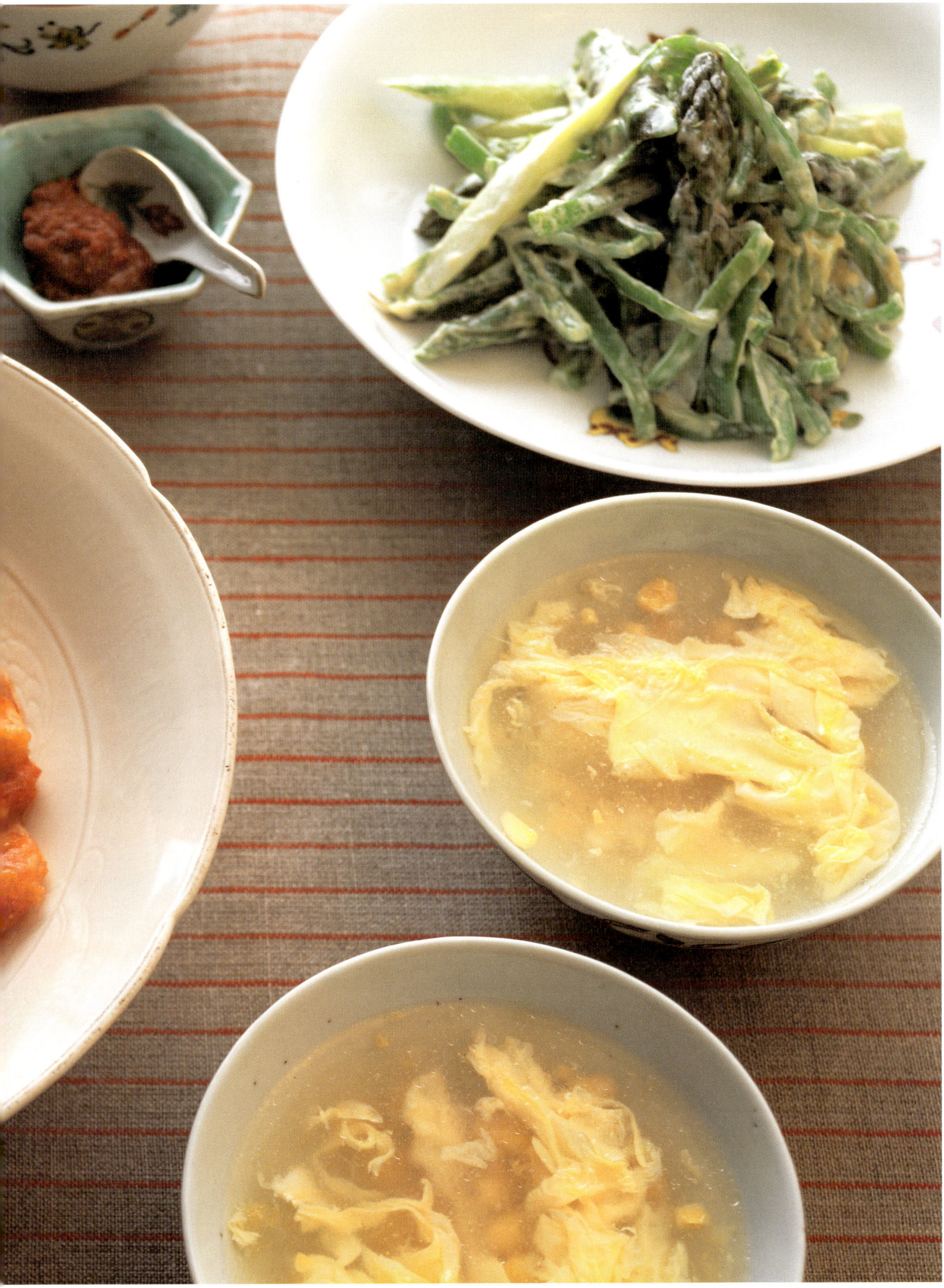

魚介を主菜に 1

もちろんわが家でおなじみの
エビチリが主菜です。
子供が食べやすいように
フレッシュなトマトを使い、
甘口に仕上げました。
エビはいためすぎに注意し、
ソースはじっくりと煮つめるのがポイント。

Menu
わが家のエビチリ
グリーンアスパラガスと
　ピーマンのごまマヨネーズあえ
卵とコーンのあっさりスープ

わが家のエビチリ
112kcal　塩分0.7g

中国料理の定番、エビのチリソースは
わが家でも人気のおかずベスト10入り！
トマトの甘味がプリプリのエビによく合います。
ピリ辛好みの場合は豆板醤を加えて。

[材料]4人分
むきエビ：300g
トマト：2個（300g）
ねぎ：10cm
にんにく：1かけ
しょうが：1かけ
サラダ油：大さじ2
a｛オイスターソース：大さじ1/2
　　塩：小さじ1/5
　　酒：大さじ1
｛かたくり粉：大さじ1/2
　水：大さじ2
豆板醤(好みで)：適量

[作り方]
1 むきエビは背わたを除き、水で洗って水けをきる。トマトはへたを除き、十字の切り目を入れる。ねぎ、にんにく、しょうがはそれぞれみじん切りにする。
2 トマト、エビの順にさっと湯通ししてそれぞれ水けをきる。トマトは皮をむいてざく切りにする。
3 なべに油を熱し、にんにく、しょうが、ねぎを順に入れていため、香りが立ったらトマトを加えていため、水分が半量になるまで煮つめる。(写真左)
4 3にaを入れて混ぜ、2のエビも加えて、あえるようにいため合わせ、水どきかたくり粉を加えてとろみをつける。
5 辛味をきかせたい場合には、好みで豆板醤を加える。

副菜

グリーンアスパラガスとピーマンのごまマヨネーズあえ

80kcal 塩分0.4g

歯ごたえのある野菜の組み合わせは、
子供たちが大好きなマヨネーズとからめて。

[材料]4人分
グリーンアスパラガス：4本
ピーマン：4個
a ┤ 練り白ごま：大さじ2
　　　マヨネーズ：大さじ1
　　　塩：小さじ1/4

[作り方]
1. アスパラガスは根元の固い部分を除く。ピーマンは縦半分に切ってへたと種を除き、せん切りにする。
2. a はよく混ぜ合わせておく。
3. アスパラガスとピーマンは塩少量（分量外）を加えた沸騰湯で順にさっとゆで、それぞれ水にさらして水けをきる。アスパラガスは長さを3等分に切る。
4. ボールに 3 を入れ、a を加えてあえる。

卵とコーンのあっさりスープ

89kcal 塩分0.9g

味の濃い主菜には、ほっとできる
あっさり味のスープがよいですね。

[材料]4人分
卵：1個
コーン缶詰め（ホールタイプ）：1缶（130g）
サラダ油：大さじ1
水：4カップ
a ┤ 鶏がらスープのもと：小さじ1/2
　　　塩：小さじ1/3
かたくり粉：大さじ2
水：大さじ4

[作り方]
1. ボールに卵を割り入れ、よくほぐしておく。
2. なべに油を熱し、コーンを入れていため、香りが立ったら水を注ぐ。煮立ったら弱火にしてふたをし、5〜6分煮る。a で調味し、水どきかたくり粉でとろみをつける。
3. 1 の卵を 2 に流し入れる。

魚介を主菜に 2

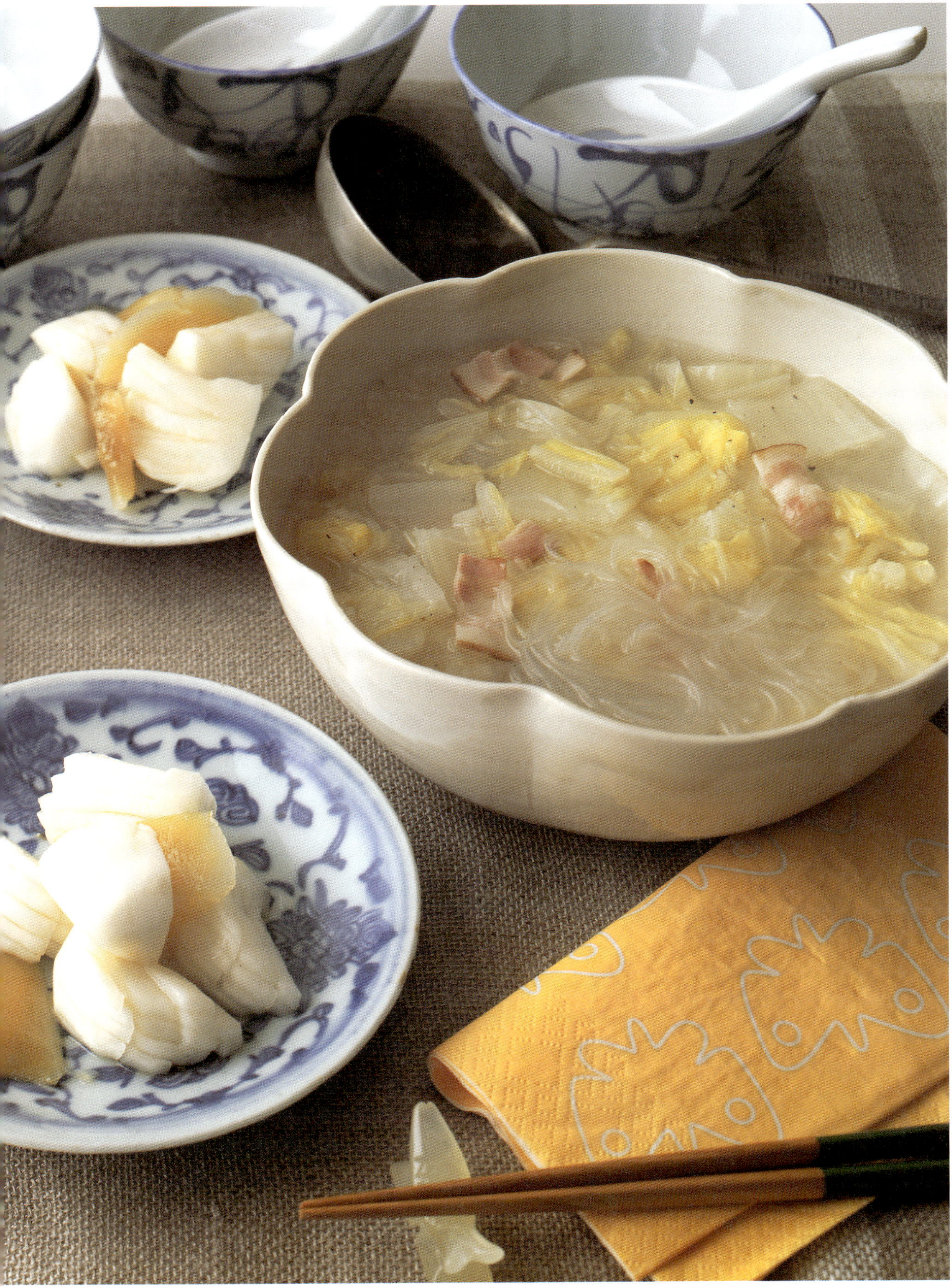

魚介を主菜に 2

魚介類の中には、
骨を作るのを助けるビタミンDも含みます。
和食の代表、かき揚げだって
わが家には登場します。
小さい子供の場合は、
ホタテやイカがよくかみきれないので、
包丁を細かく入れておきましょう。

Menu
ホタテとイカのにら入りかき揚げ
かぶとドライマンゴーの甘酢あえ
白菜とベーコンのスープ

ホタテとイカの にら入りかき揚げ
387kcal 塩分0.9g

ホタテとイカは特にタウリンが多く、
栄養価も高い魚介です。
おいしく揚げるポイントは
なるべく小さいおなべに、少ない油で。

[材料]4人分
ホタテ貝柱：8個(200g)
イカ(足とわたを除く)：1枚(150g)
にら：50g
a ┌ 卵白：1個分
  │ かたくり粉：大さじ2
  │ 塩：小さじ1/4
  └ 酒：大さじ2
揚げ油：適量
豆板醤(トゥバンジャン)(好みで)：適量

[作り方]
1 ホタテは水けをふきとる。
2 イカは皮を除いて斜め格子状に切り目を入れ、一口大に切り分ける。(冷凍のロールイカを使ってもよい)
3 にらは0.5cm長さに切る。
4 ホタテ、イカ、にらをaの衣に合わせ入れ、160℃の油の中に表面を固めるようにして入れ、カラリと揚げる。(写真左)
5 かき揚げの油をきって器に盛る。
★好みであら塩やめんつゆをつけて食べてもよい。

○ 副菜

白菜とベーコンのスープ
102kcal 塩分0.9g

スープにすれば、体を温める白菜を
たくさんとることができます。
ベーコンでうま味を出して。

[材料]4人分
白菜：400g
ベーコン：2枚(30g)
はるさめ(乾)：50g
サラダ油：大さじ1/2
水：4カップ
塩：小さじ1/2
こしょう：少量

[作り方]
1 白菜は洗い、2cm幅に切る。
2 ベーコンは1cm幅に切る。
3 なべに油を熱し、ベーコンを入れていため、香りが立ったら水、白菜を加え入れる。煮立ったら弱火にしてふたをし、4～5分煮る。
4 アクが出たら除き、はるさめを入れてさらに煮て、塩、こしょうで味をととのえる。

かぶとドライマンゴーの甘酢あえ
71kcal 塩分0.3g

マンゴーのさっぱりした甘味が
かぶにしみ込んで、とてもさわやかな一品。

[材料]4人分
かぶ：4個(300g)
塩：小さじ1/4
ドライマンゴー*：50g
a ┤ 酢：大さじ2
   │ 塩：小さじ1/5
   │ 砂糖：大さじ1 1/2
   └ ごま油：大さじ1

＊マンゴー以外にも甘ずっぱい味のあんずやパイナップルなどのドライフルーツでもよい。

[作り方]
1 かぶは茎を除いて皮を薄くむき、6等分にする。塩をまぶしてもみ、10分おいて水けをきる。
2 ドライマンゴーは水につけてもどし、一口大に切る。
3 1と2を合わせ、aを合わせたたれであえる。
★1時間ほど漬けておくとよりおいしくなる。

魚介を主菜に 3

So the birds became Koong Shee's only friends, and among the fantastic shapes of apple, orange trees, and the scen

魚介を主菜に 3

白身魚は脂肪分も少ないうえに、
良質たんぱく質が豊富。
淡白な味なので、油分を加えていためたり、
揚げたりといろいろとアレンジできます。
白身魚にお肉も加わった主菜は
すぐに元気が湧き出る献立です。

Menu
白身魚と豚バラ肉のしょうゆいため
さやいんげんともやしのさっぱりあえ
じゃが芋と玉ねぎのみそ汁

白身魚と豚バラ肉のしょうゆいため

251kcal 塩分1.2g

魚といっしょに肉をいためます。
え?!と思うかもしれませんが
どうぞ試してみてください。
驚くほどうま味がアップします。

[材料]4人分
白身魚(カジキ)＊：300g
かたくり粉：大さじ1
豚バラ薄切り肉：100g
ねぎ：½本
サラダ油：大さじ1
a ┌ 酒：大さじ2
  │ 砂糖：大さじ½
  └ しょうゆ：大さじ1½

＊白身魚はキンメダイやタラでもよい。

[作り方]
1 白身魚は一口大のそぎ切りにし、かたくり粉をまぶす。
2 豚肉は5cm幅に切り、ねぎは2cm幅の斜め切りにする。
3 なべに油を熱し、1の魚を並べ、両面を色よく焼く。身がふっくらしてきたら、豚肉を加え入れていためる。(写真右)
4 肉の色が変わってきたら a を順に入れて調味し、ねぎを加えていため合わせる。

副菜

さやいんげんともやしのさっぱりあえ
38kcal 塩分0.4g

香りづけしたねぎがポイント。
もやしのひげ根とりは
子供たちにお手伝いさせて。

[材料]4人分
さやいんげん：150g
もやし：2袋
ねぎ：10cm
塩：小さじ1/4
サラダ油：大さじ1 1/2

[作り方]
1. いんげんは筋を除き、もやしはひげ根をとり除く。ねぎは斜め薄切りにする。
2. もやし、いんげんは塩少量（分量外）を加えた沸騰湯で順にさっとゆで、水にさらして水けをよく絞る。
3. ボールに2を合わせ入れ、塩で調味する。
4. なべに油を熱し、ねぎを入れていため、香りが立ったら、なべからとり出し、3にかけてあえる。

じゃが芋と玉ねぎのみそ汁
110kcal 塩分1.3g

みそ汁といえばやっぱり
ホクホクのじゃが芋がおいしい。

[材料]4人分
じゃが芋：1個(150g)
玉ねぎ：1個(200g)
油揚げ：1枚(50g)
だし：4カップ
酒：大さじ1
みそ：大さじ2

[作り方]
1. じゃが芋と玉ねぎは皮をむいて一口大に切る。油揚げは熱湯をかけて油抜きをし、せん切りにする。
2. なべにだしを入れて火にかけ、煮立ったらじゃが芋と玉ねぎを加えて4～5分煮る。やわらかくなったら油揚げと酒を加え、みそをとき入れる。

魚介を主菜に 4

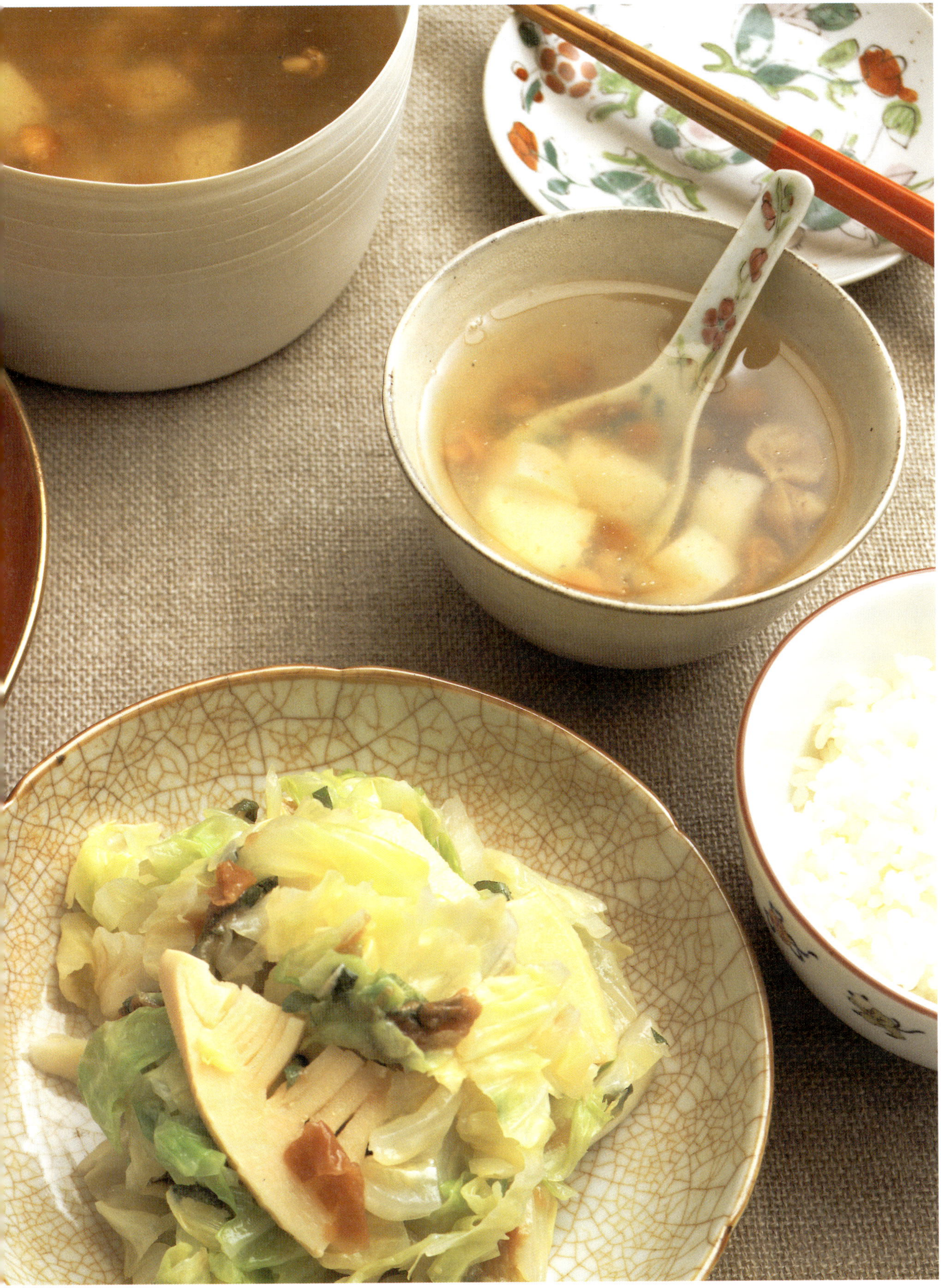

魚介を主菜に 4

IPAやDHAは
成長期の子供の体や脳を
作る大切な栄養素。
青背の魚では、
50〜100gでも充分
摂取できるそうです。
これで今度の試験は、
点数アップが期待される
かもしれません！

Menu
青魚の酢じょうゆ煮
キャベツとたけのこの梅あえ
里芋となめこのスープ

青魚の酢じょうゆ煮
250kcal 塩分1.4g

くせのある青魚は香味野菜を加えると
食べやすくなります。
まず魚をしっかりと焼いてから、
煮つめること。
お酢の酸味がきいているので、
食欲も進みます。

[材料]4人分
青魚(サバ)＊：400g
かたくり粉：大さじ1
サラダ油：大さじ1
しょうが：1かけ
にんにく：1かけ
a ┌ 酢：大さじ1½
　├ しょうゆ：大さじ1½
　├ 砂糖：小さじ1
　└ 酒：大さじ2
水：½カップ
＊青魚はイワシやサンマでもよい。

[作り方]
1 サバは3cm幅のそぎ切りにし、汁けをふいてかたくり粉を全体にまぶしつける。
2 しょうがは薄切りにし、にんにくはたたきつぶす。
3 いためなべに油を熱し、サバの皮を下にして入れる。こんがりと焼き色がつく程度に両面を焼いたら、aを順に加えてからめ、さらに水も加えて煮立たせる。
4 3にしょうが、にんにくを加えて落としぶたをし、さらに弱火で10分煮る。（写真左）
★煮汁が残る場合は、やや強火にして煮つめる。

副菜

キャベツと竹の子の梅あえ
93kcal 塩分2.2g
春野菜が主役のあえもの。
キャベツは胃腸の調子を整え、
竹の子には食物繊維がたっぷり！

[材料]4人分
キャベツ：1/2個（400g）
ゆで竹の子：1/2個（150g）
梅干し：2個（40g）
しその葉：2～3枚
ごま油：大さじ2

[作り方]
1 キャベツは1cm幅のせん切りにする。竹の子は縦半分に切って、さらに薄切りにする。
2 塩少量を加えた沸騰湯で1をそれぞれゆで、水にさらして水けをきる。
3 梅干しは種を除いてほぐし、みじん切りにしたしその葉と合わせる。
4 2と3をあえて、ごま油で香りづけをする。

里芋となめこのスープ
28kcal 塩分0.7g
とろとろ、ぬるぬるコンビのスープ。この粘りが体によいものの証拠です。

[材料]4人分
なめこ：1袋（100g）
里芋：2個（150g）
a { 顆粒ブイヨン：小さじ1
    水：4カップ
塩：小さじ1/4
こしょう：少量

[作り方]
1 里芋の皮をむいて一口大に切る。
2 なべにaと里芋を入れて火にかけ、煮立ったらふたをし、弱火で約8分煮る。
3 なめこを加えて塩、こしょうで味をととのえる。

肉を主菜に 1

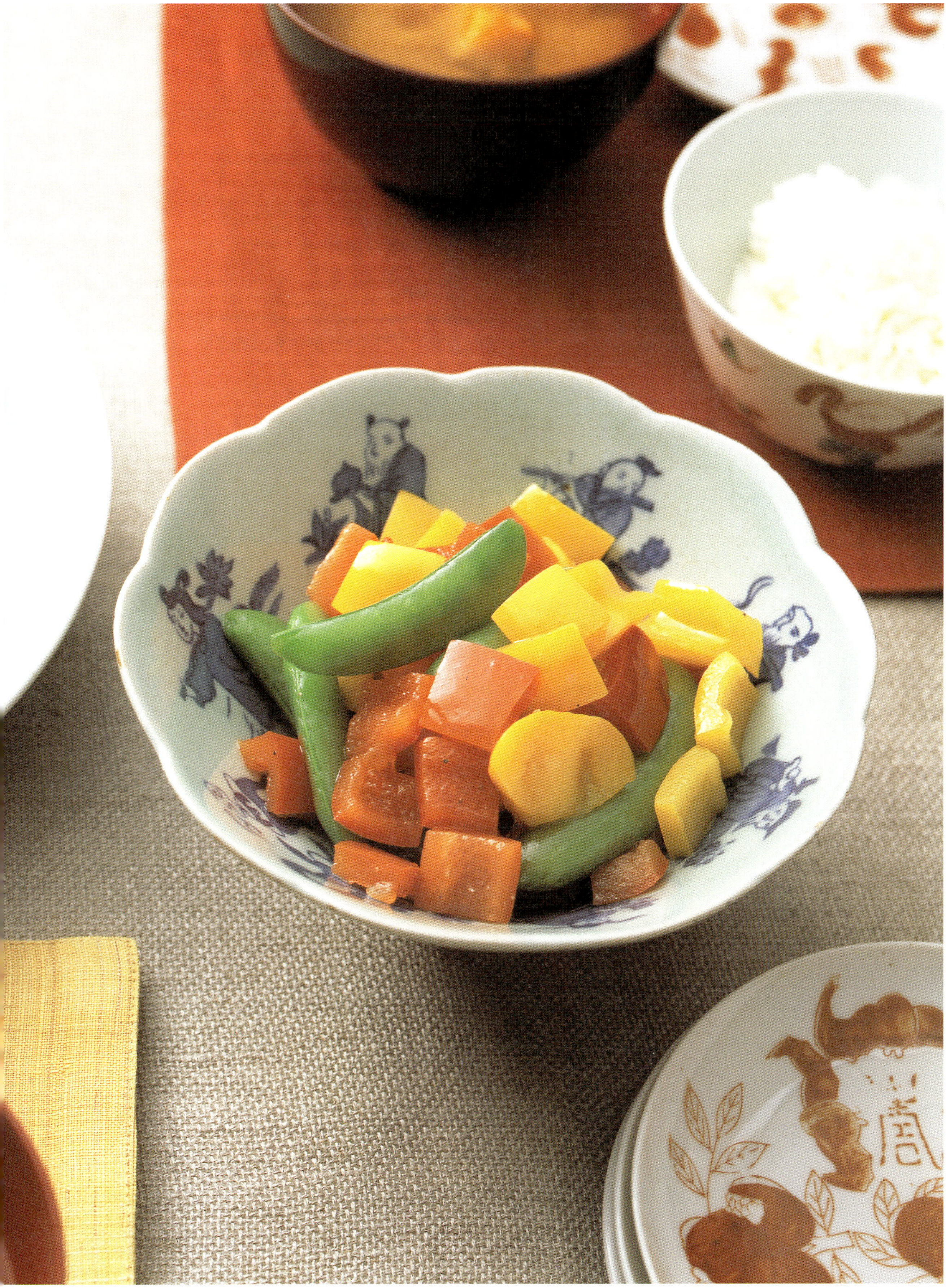

肉を主菜に 1

まず力をつけたい！
そんな日にはやっぱりお肉を主菜にします。
豚肉には疲れをとるビタミンB1が豊富。
わが家では、骨つき肉の
スペアリブをよく使います。
ゆでた場合には、ゆで汁が
またおいしいスープだしにもなります。

Menu
豚スペアリブと干しぶどうのカレー煮
2色ピーマンとスナップえんどうのサラダ
かぼちゃのみそ汁

豚スペアリブと干しぶどうのカレー煮

486kcal 塩分1.4g

骨つき肉はうま味がよく出ます。
みんな大好きなカレー味で。
鉄分も多い干しぶどうで、
甘味も自然のもの。
パワーは出るし、体にもやさしい。

[材料]4人分
豚スペアリブ＊：600g
干しぶどう：50g
サラダ油：大さじ1
ねぎ：10cm
a ┌ 酒：大さじ1
　│ しょうゆ：大さじ2
　└ 水：1カップ
カレー粉：大さじ1
サラダ油：大さじ1

＊スペアリブの下処理は肉屋さんに頼んでおくか、カットしたものを使う。

[作り方]
1 スペアリブは3cm幅に切ってあるものを使う。ねぎはぶつ切りにする。
2 いためなべに油を熱し、スペアリブを入れて表面の色が変わるまで焼き、カレー粉を加えてよくからめる（写真A）。
3 肉にカレー粉がよくからまったら（写真B）、aを順に入れ、干しぶどうも加える。煮立ったら弱火にし、ふたをして1時間ほど煮る。

副菜

2色ピーマンとスナップえんどうのサラダ
56kcal 塩分0.5g

献立を考えるとき、やっぱり必要なのは彩り。
鮮やかな赤色、黄色、緑色。
見ているだけで元気になりませんか？！

[材料]4人分
赤ピーマン：1個（120g）
黄ピーマン：1個（120g）
スナップえんどう：100g
塩：小さじ1/3
こしょう：少量
ごま油：大さじ1

[作り方]
1 赤・黄ピーマンはそれぞれ種を除いて一口大に切る。スナップえんどうは筋をとり除く。
2 スナップえんどう、ピーマンは順に沸騰湯でゆでて水にさらし、水けをきる。
3 2をボールに合わせ入れ、塩、こしょうをしてごま油であえる。

かぼちゃのみそ汁
68kcal 塩分1.3g

でんぷん質が豊富でエネルギーが高いかぼちゃ。
くずれにくい日本かぼちゃがおすすめです。

[材料]4人分
かぼちゃ：200g
だし：4カップ
a { 酢：大さじ1
    こしょう：少量
みそ：大さじ2

[作り方]
1 かぼちゃは種を除いて、食べやすい大きさに切る。
2 なべに1とだしを入れて火にかけ、煮立ったら弱火にし、ふたをして5分煮る。
3 かぼちゃがやわらかくなったらaで調味し、みそをとき入れる。

肉を主菜に 2.

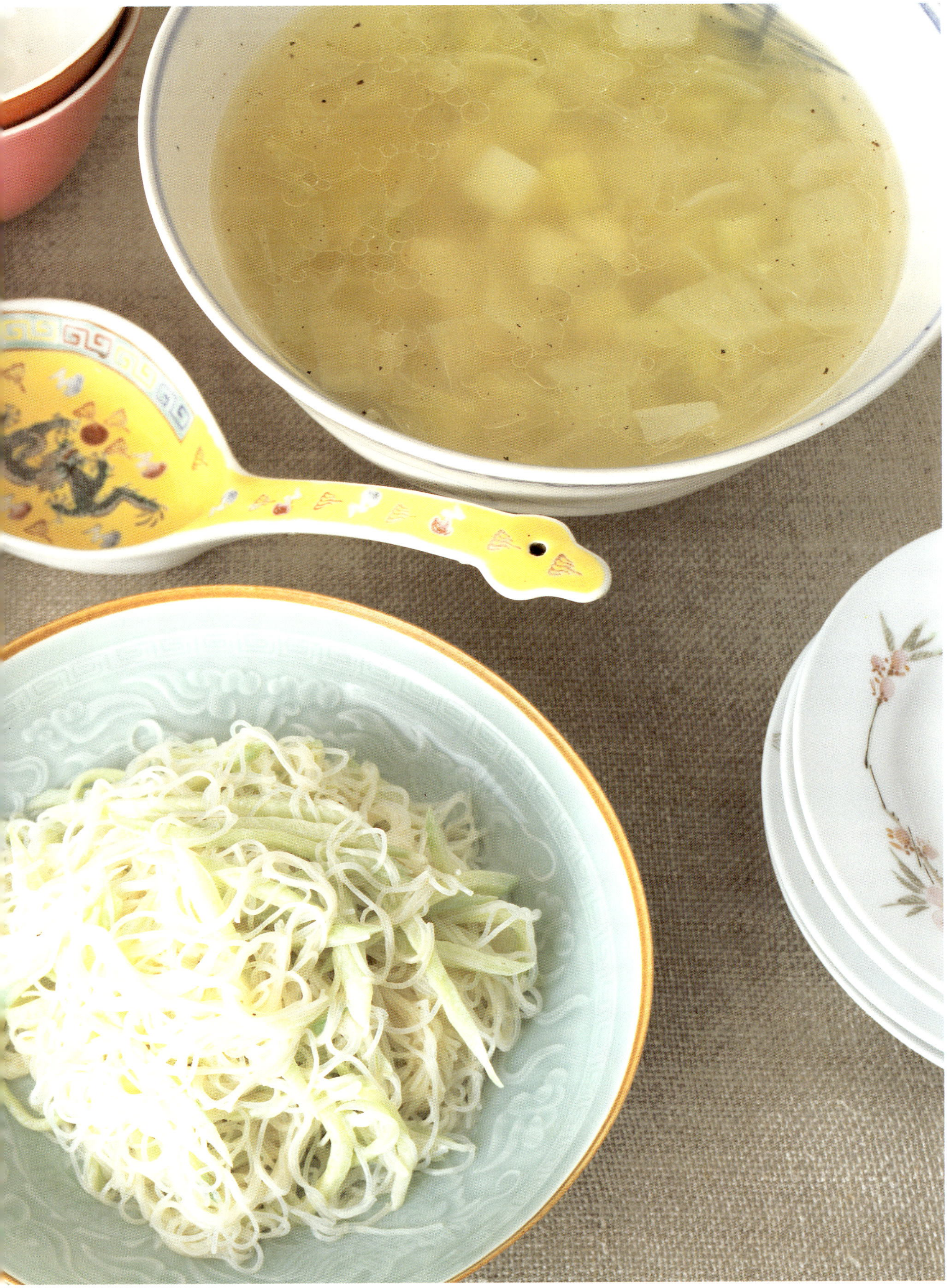

肉を主菜に 2.

息子は「牛肉が食べたい！」とやっぱり言います。
育ち盛りですので、あたりまえですね。
でもここは母の技の出しどころ。
脂身がないお肉でもおいしく作ります。
息子は、まだだまされているのかもしれません。

Menu
牛もも肉のみそいため
春雨ときゅうりのあえもの
じゃが芋と玉ねぎ、セロリのスープ

牛もも肉のみそいため
215kcal 塩分1.0g

脂肪の少ない肉は固いと
思われがちですが、
工夫しだいでやわらかくなります。
肉はなるべく細めに切って。
冷蔵庫に余ったねぎ類をたっぷりと。

[材料]4人分
牛もも肉（鉄板焼き用）：300g
小ねぎ：5〜6本
サラダ油：大さじ1½
a ┃ 酒：大さじ2
　 ┃ みそ：大さじ1
　 ┃ しょうゆ：大さじ½
　 ┃ 砂糖：小さじ1
　 ┃ こしょう：少量

[作り方]
① 牛肉は0.5cm幅の細切りにする（写真右）。小ねぎは小口切りにする。
② aの調味料は合わせておく。
③ いためなべに油を熱し、牛肉を入れて、肉の水分がなくなるまでしっかりといためる。
④ ③に②を加えてからめ、小ねぎをちらし、さらにいため合わせる。

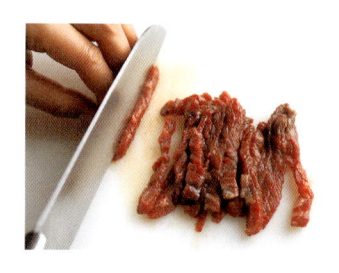

副菜

じゃが芋と玉ねぎ、セロリのスープ
63kcal 塩分0.7g

セロリ嫌いを克服させる一品。
スープにするととてもやわらかくなって、
すっと口に入りますよ。

[材料]4人分
じゃが芋：1～2個(150g)
玉ねぎ：1個(200g)
セロリ：1本(150g)
サラダ油：大さじ1/2
a ｛鶏がらスープのもと：小さじ1/2
　　水：4カップ
塩：小さじ1/3
こしょう：少量

[作り方]
1 じゃが芋、玉ねぎは、皮をむいて1cmの角切りにする。
2 セロリは葉と筋を除き、食べやすい大きさに切る。
3 いためなべに油を熱し、じゃが芋、玉ねぎ、セロリを入れていためる。
4 香りが立ったらaを入れて、煮立ったら弱火にしてふたをし、10分煮る。塩、こしょうで味をととのえる。

春雨ときゅうりのあえもの
114kcal 塩分0.7g

見ためにも上品な副菜は
おもてなしにも向く一品。
きゅうりは皮を除くことで
青臭さがなくなります。

[材料]4人分
はるさめ(乾)：60g
きゅうり：3本(300g)
a ｛練り白ごま：大さじ2
　　酢：大さじ1/2
　　しょうゆ：大さじ1/2
　　塩：小さじ1/4
　　こしょう：少量

[作り方]
1 はるさめは湯通しし、水にさらして水けを絞り、食べやすい長さに切る。きゅうりは皮をむいてせん切りにする。
2 aの調味料は合わせておく。
3 はるさめときゅうりを合わせ、2を加えてあえる。

肉を主菜に 3

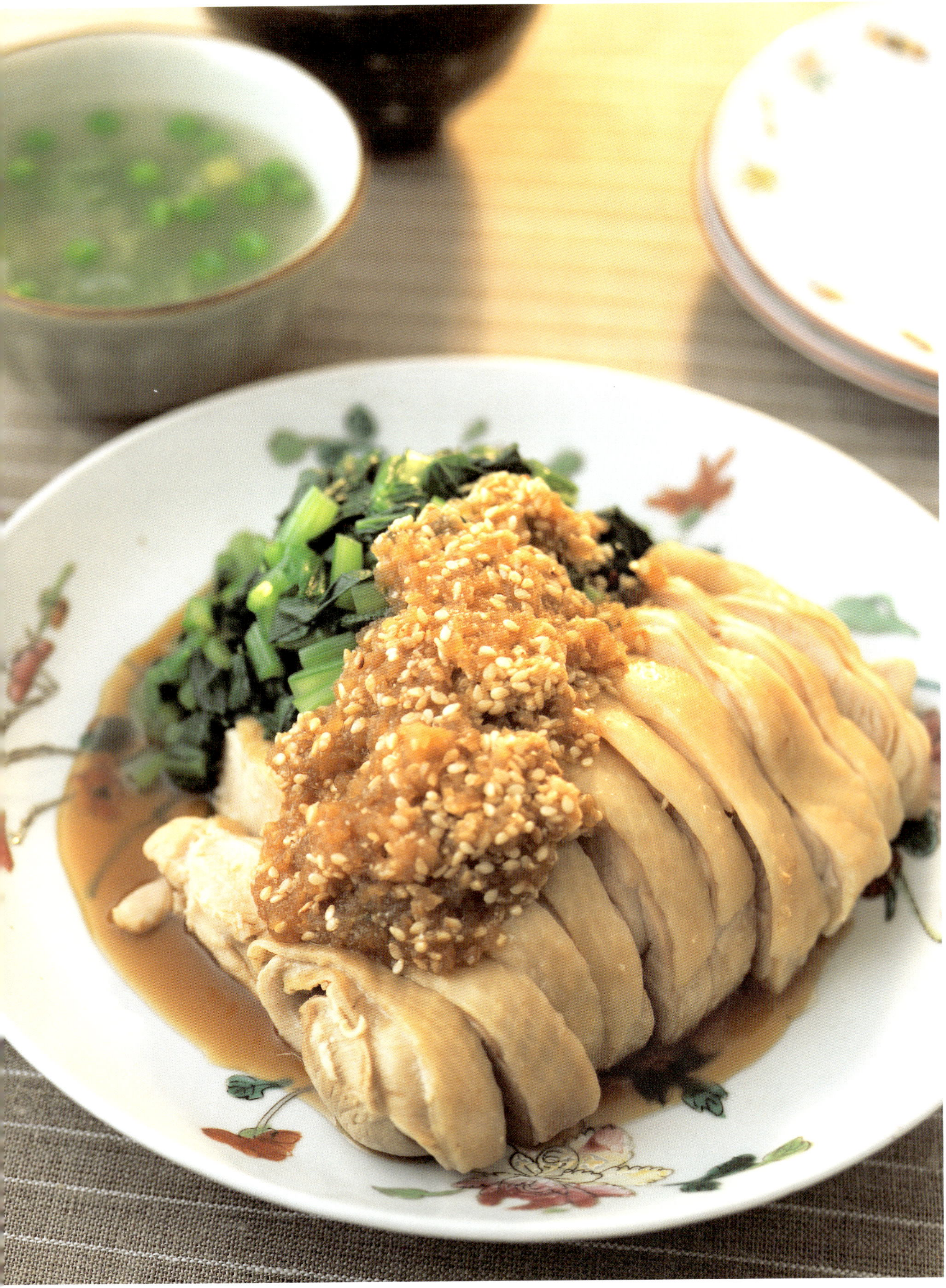

肉を主菜に 3

鶏肉といえば、まずは棒々鶏です。
野菜をつけ合わせに加えたり、
いっしょにあえたりすれば、
おもてなしの料理にもなります。
副菜はしっかり濃い味にして、
スープはほっとする味に。
献立は味のバランスも肝心です。

Menu
棒々鶏と小松菜のりんごじょうゆだれかけ
にんじんとごぼうのコロコロじょうゆいため
グリーンピースとサクラエビのスープ

棒々鶏と小松菜の りんごじょうゆだれかけ
190kcal 塩分1.1g

「蒸す」というのはとても優秀な調理法
で肉のおいしさを引き立たせます。
酒蒸しの手軽な方法で。
たっぷりの小松菜とりんごを
使った甘酢じょうゆでどうぞ。

[材料]4人分
鶏もも肉：300g
酒：1/4カップ
しょうが：1かけ
小松菜：1束
●りんごじょうゆだれ
りんごのすりおろし：1/4個分
しょうゆ：大さじ1 1/2
酢：大さじ1
すりごま：大さじ1

[作り方]
1 鶏肉は皮が表になるようにロール状に巻く。
2 なべに1と酒、薄切りにしたしょうがを入れて（写真左）ふたをして火にかけ、煮立ったら弱火にし、10分ほど蒸し煮にする。火を消してそのままさまし、1cm幅に切る。
3 小松菜は塩少量を加えた沸騰湯でさっとゆで、水にさらして水けを絞り、0.5cm長さに切る。
4 りんごじょうゆだれの材料を合わせて混ぜる。
5 器に鶏肉と小松菜を盛り、混ぜ合わせたりんごじょうゆだれをかける。

副菜

にんじんとごぼうの
コロコロじょうゆいため

91kcal 塩分1.0g

根菜のいためものは甘辛味で
白いごはんにとても合い、すぐに品切れに！

[材料]4人分
にんじん：1本（120g）
ごぼう：150g
にんにく：1かけ
サラダ油：大さじ1
ごま油：大さじ½
a ┌ 砂糖：小さじ1
　├ しょうゆ：大さじ1½
　└ 酒：大さじ3
水：大さじ3

[作り方]
1 にんじんは皮をむき、ごぼうは包丁の背で皮をこそげとりそれぞれ、1cmの角切りにする。にんにくはたたいてつぶす。
2 なべにサラダ油とごま油をいっしょに熱し、にんにくを入れ、焦がさないように弱火にしていためる。
3 香りが立ったら、にんじん、ごぼうを加え入れ、油が野菜全体にからまるようにいため混ぜ、aを順に加えて調味する。
4 煮立ったら水を加えて弱火にし、ふたをして10分煮る。

グリーンピースと
サクラエビのスープ

96kcal 塩分0.7g

とろみのついたスープと
ぷつぷつとしたグリーンピースの食感を楽しんで。

[材料]4人分
グリーンピース*：150g
サクラエビ：30g
サラダ油：大さじ1
ねぎ：10cm
a ┌ 酒：大さじ1
　└ 水：4カップ
かたくり粉：大さじ1
水：大さじ2
塩：小さじ⅓
こしょう：少量
*グリーンピースは冷凍のものでもよい。

[作り方]
1 グリーンピースはさやから出す。ねぎは薄切りにする。
2 なべに油を熱し、サクラエビを入れて香りが立つまでいためる。
3 ねぎを加えてさらに香りが立ったら、aを注ぎ入れ、煮立ったらグリーンピースを加えて5分煮、水どきかたくり粉でとろみをつける。
4 塩、こしょうを加えて味をととのえる。

豆腐・豆腐製品を主菜に 1

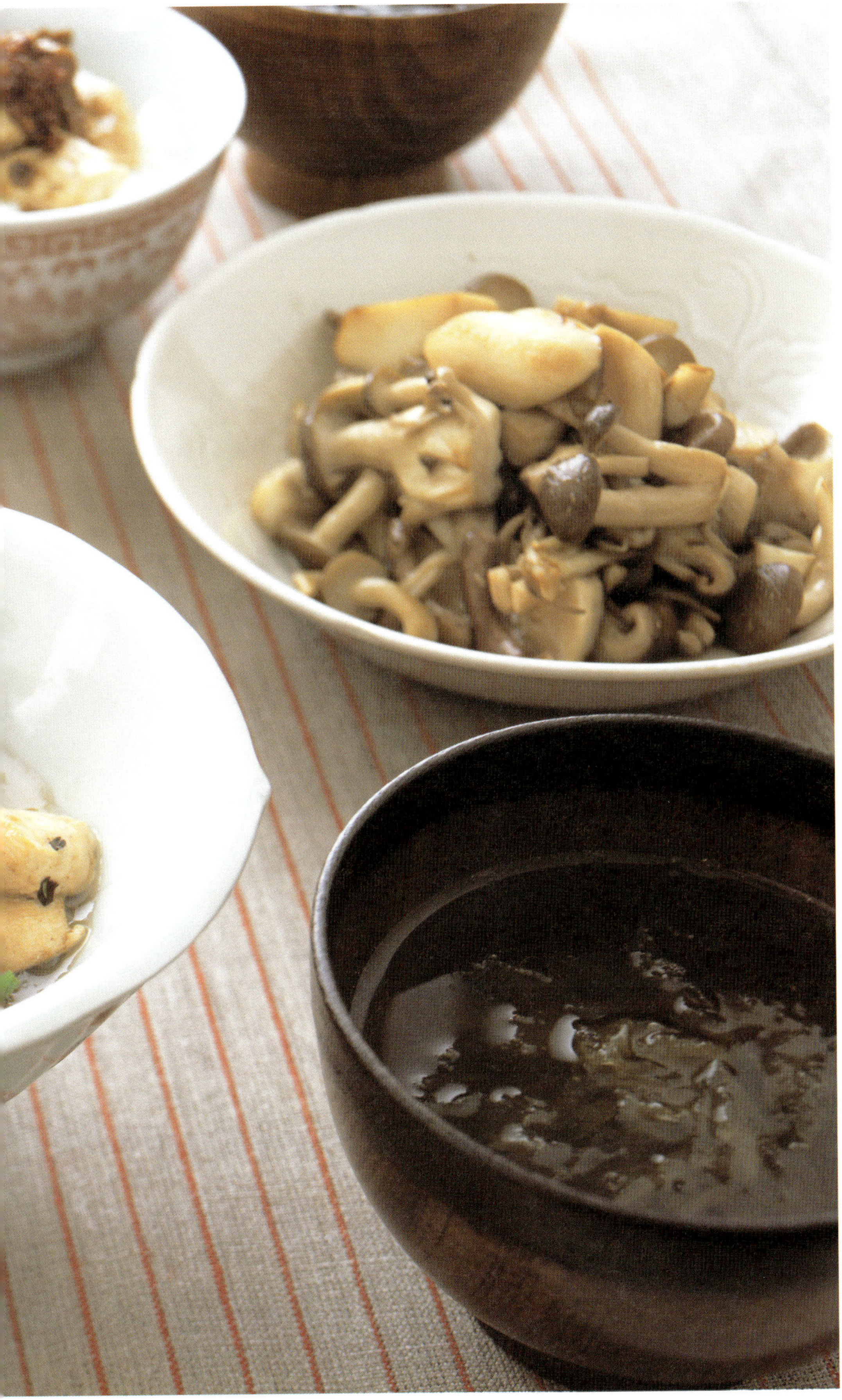

豆腐・豆腐製品を主菜に 1

豆腐は植物性のたんぱく質。
体調調整には決め手の食材。
肉や魚に比べて体にもやさしく、
消化にもよいもの。
少し体調がよくないというときには
豆腐を主菜に。
副菜では、免疫力を高める
きのこ類をたっぷりとれば、
回復は早いはずです。

Menu
麻婆豆腐
いろいろきのこの塩いため
とろろこんぶのスープ

麻婆豆腐
238kcal 塩分1.3g

中国料理といえば麻婆豆腐ですが、
もともとは労働者の食べ物だったそう。
レシピは子供たちにも
食べやすい味にしました。
辛いものが好みの方は
大人用麻婆豆腐のもとを加えて。

[材料]4人分
木綿豆腐：2丁（600g）
牛こま切れ肉：100g
小ねぎ：1/2束
サラダ油：大さじ2
a ｛ 酒：大さじ1
　　豆豉（トウチ）：15g
　　しょうゆ：大さじ1
b ｛ 鶏がらスープのもと：小さじ1/3
　　水：1/2カップ
｛ かたくり粉：大さじ1
　水：大さじ2

[作り方]
1 豆腐は深皿の上に広げた巻きすの上に置いて、一口大に切り、そのまま1時間程度おいて水けをしっかりきる。（写真右下）
2 牛肉は細かく刻む。
3 小ねぎは1cm長さに切り、豆豉は細かく刻む。
4 いためなべに油を熱し、牛肉を入れていため、肉の色が変わったらaを加える。
5 煮立ったら豆腐を入れ、くずさないようになべをゆっくり揺すりながら、全体に味をからめる。bを加え、煮立ったら弱火にし、ふたをして10分ほど煮る。
6 豆腐に火が通ったら小ねぎを加えていため合わせ、水どきかたくり粉を加えてとろみをつける。

大人用麻婆豆腐のもと
[材料] 作りやすい分量
一味とうがらし：大さじ2
花椒（ホワジャオ）：大さじ1強
サラダ油：大さじ1 1/2

[作り方]
1 花椒はいためなべでからいりし、すり鉢に入れてつぶす。
2 一味とうがらしはボールに入れる。
3 なべに油を180℃に熱し、お玉などを使って一味とうがらしにかけて菜ばしですばやく混ぜ、焦がさないように1を加えて混ぜ合わせる。（好みで麻婆豆腐にのせてあえる）

副菜

いろいろきのこの塩いため

80kcal 塩分0.5g

たくさんのきのこを使っておなかはすっきりに、お肌はつるつるになります。

[材料]4人分
生しいたけ：4枚（100g）
エリンギ：100g
しめじ：100g
まいたけ：100g
サラダ油：大さじ1½
バター：10g
塩：小さじ⅓
こしょう：少量

[作り方]
1. しいたけは軸を除いて4等分にし、エリンギは一口大の斜め切りにする。
2. しめじとまいたけは石づきを除いてそれぞれ一口大に分ける。
3. いためなべにサラダ油とバターを熱し、1、2を入れていため、しんなりしたら塩、こしょうで味をととのえる。

とろろこんぶのスープ

22kcal 塩分1.8g

海藻類も積極的にとりたい食品です。とても簡単なあっさり味のスープ。

[材料]4人分
とろろこんぶ：20g
だし：4カップ
a ｛ 酒：大さじ1
　　しょうゆ：大さじ2
　　みりん：大さじ1

[作り方]
1. なべにだしを入れて煮立て、aを順に入れて味をととのえる。
2. 器に盛り、とろろこんぶをのせる。

豆腐・豆腐製品を主菜に 2

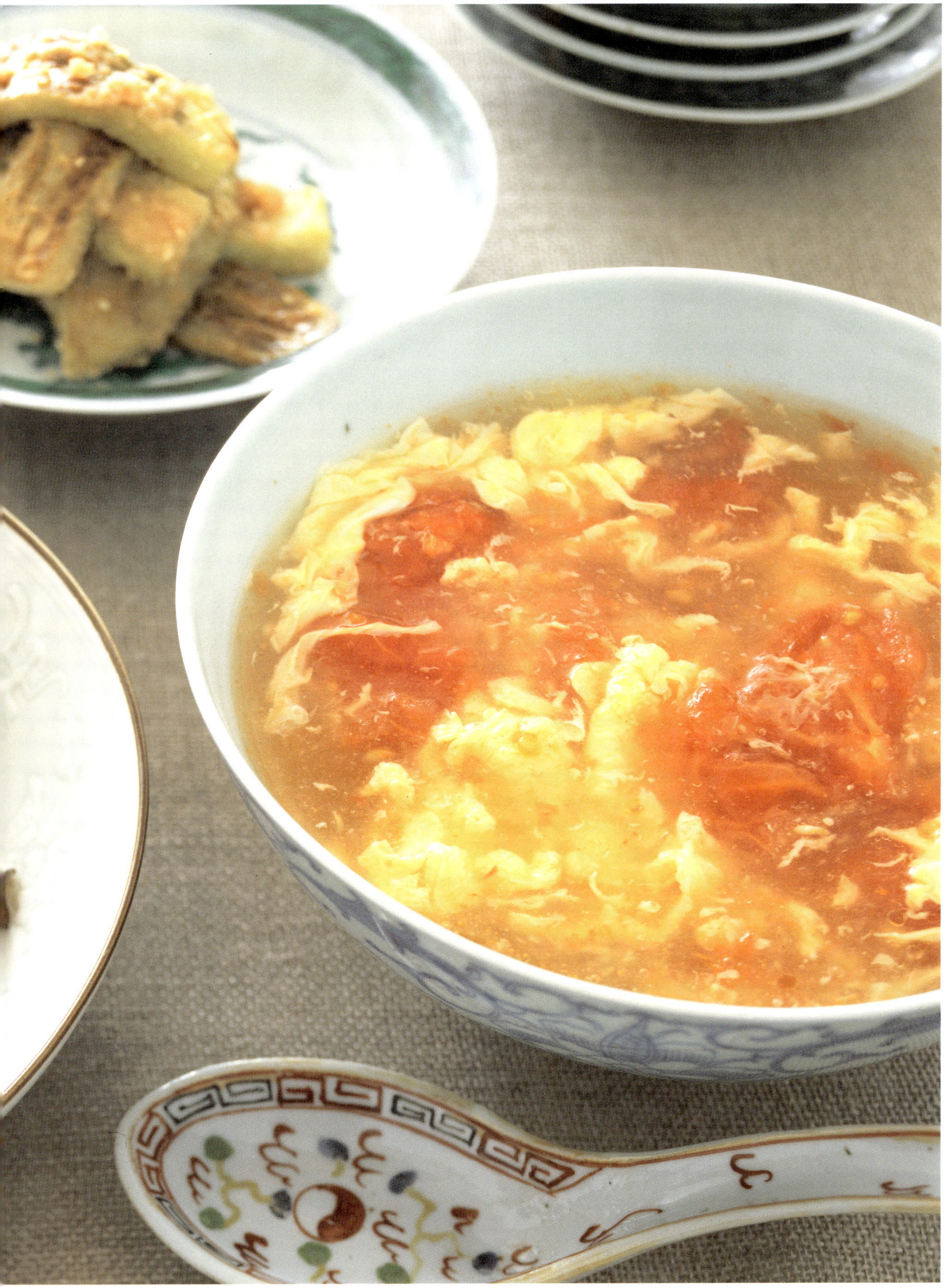

豆腐・豆腐製品を主菜に 2

豆腐製品の中でも
ボリュームがあるのが厚揚げ。
味がしみ込みやすいので、
いろいろな味つけで楽しめます。
子供にはあまり
食べなれない乾物も
ミネラルが豊富。
いっしょにいためれば
食べやすくなります。
副菜の汁物に野菜を
たくさん使って。

Menu
厚揚げときくらげのしょうゆいため煮
焼きなすのタラコあえ
トマトと卵のスープ

厚揚げときくらげのしょうゆいため煮
113kcal 塩分1.0g

しょうゆ味がたっぷりしみ込んだ
厚揚げは食べごたえがあります。
乾物はしっかりもどすことが肝心。
オクラの彩りも加えて。

[材料]4人分
厚揚げ：1枚(200g)
きくらげ(乾)：10g
オクラ：5〜6本(50g)
ねぎ：10cm
サラダ油：大さじ1
a ┌ 酒：大さじ1
  │ 砂糖：大さじ½
  │ しょうゆ：大さじ1½
  └ 酢：小さじ1
水：小さじ2
┌ かたくり粉：大さじ½
└ 水：大さじ1

[作り方]
1 厚揚げは熱湯をかけて油抜きをし、一口大の乱切りにする。
2 きくらげはたっぷりの水に30分ほどつけてしっかりともどす。(写真下)水けをきって、石づきは除いて、一口大に切る。
3 オクラはへたを除いて半分に切り、ねぎは斜め薄切りにする。
4 いためなべに油を熱し、厚揚げを入れていため、香りが立ったらきくらげを加えていため合わせ、**a**を順に加えて調味する。
5 4にねぎと水を加え、ふたをして5〜6分煮る。オクラを加えてひと混ぜし、水どきかたくり粉でとろみをつける。

(副菜)

焼きなすのタラコあえ
110kcal 塩分0.6g

タラコを調味料に加えると、とてもまろやかに。
なす料理の新しい味の発見です。

[材料]4人分
なす：5本(500g)
酒：大さじ3
サラダ油：大さじ1
a ┌ タラコ：50g
　│ すり白ごま：大さじ1
　│ ごま油：大さじ1
　│ しょうがすりおろし：大さじ½
　└ 酢：大さじ½

[作り方]
1 なすはへたを除いて皮をむき、1cm幅の薄切りにする。
2 なべにサラダ油を熱し、1を並べて酒をふり、ふたをして弱火で5〜6分蒸し焼きにする。
3 なすがしんなりとなったら火から下ろして器にのせ、aのたれをかけ、あえる。

トマトと卵のスープ
56kcal 塩分0.6g

スープ料理の中でも人気ナンバー1！
トマトには体の毒素を出す作用もあるのです。

[材料]4人分
トマト：2〜3個(400g)
卵：1個
a ┌ 鶏がらスープのもと：小さじ½
　└ 水：3カップ
塩：小さじ¼
┌ かたくり粉：大さじ1
└ 水：大さじ2
こしょう：少量
ごま油：小さじ1

[作り方]
1 トマトは皮を湯むきし、へたを除いて大ぶりの乱切りにする。卵は割りほぐしておく。
2 なべにトマトとaを入れて火にかけ、沸騰したら弱火にし、ふたをして3〜4分ほど煮る。
3 2に塩を加えて調味し、水どきかたくり粉でとろみをつけ、卵をまわし入れ、こしょう、ごま油で香りをつける。

Column

圧力鍋を使って、豆を手軽にとり入れましょう。

おもな豆の種類

黄色大豆
一般的に大豆というとこの黄大豆を指す。たんぱく質や脂質が主成分。カルシウムやビタミンB1、Eなども豊富に含む。卵や肉といっしょに摂取すると、栄養効果も高まる。

花豆
花豆は大きく2種類あり、紫の地に黒色の斑が入っている紫花豆と、白い色の白花豆がある。一般の豆の中でも一番大きく、おもに煮豆や甘納豆などに使われる。

圧力なべで基本の豆を煮る

大豆の粒こしょう煮
77kcal 塩分3.3g（1/10量）

[材料] 作りやすい分量
大豆：1カップ
a ｛
　水：2 1/2 カップ
　ごま油：大さじ1
　粒黒こしょう：10粒
　鶏がらスープのもと：小さじ1/2
　塩：小さじ1/2
｝

[作り方]
1. 豆は洗ってざるにあげる。
2. 1を圧力なべに移してaを加え、ふたをして強火にかける。
3. しゅっしゅっと音がなったら弱火にして30分煮、ふたを開けずにそのまま1時間蒸らす。

★圧力なべはメーカーやなべの種類によって扱い方が異なることがあるので、備えつけの説明書を参考にする。

紫花豆のコンソメ煮
65kcal 塩分0.1g（1/10量）

[材料] 作りやすい分量
紫花豆：1カップ
a ｛
　水：2 1/2 カップ
　顆粒ブイヨン：小さじ1
｝
サラダ油：大さじ1

★作り方は大豆の粒こしょう煮と同様。

大福豆の八角煮
64kcal 塩分0.6g（1/10量）

[材料] 作りやすい分量
大福豆：1カップ
a ｛
　水：2カップ
　八角：1個
　ごま油：大さじ1
　塩：小さじ1
｝

★作り方は大豆の粒こしょう煮と同様。

中国でも豆は体によい食材の代表として、家庭では欠かせない食材。常に3種類以上の豆を常備しています。
乾燥豆の下準備はめんどう！とお思いの方には圧力なべがおすすめ。
作りおきの豆は、いろいろな料理に加えて活用してみてください。

大福豆
白いんげん豆の一種で、北海道が主産地。豆類の中でもカルシウムが特に豊富。風味がよくほくほくした食感が特徴。煮豆、ポタージュなどに合う。

あずき
日本、中国ともに古くから生活に結びつき、行事食などでもよく使われてきた。食物繊維が豊富。中国では体を温める食材としても重宝されている。

緑豆
あずきに似たうす緑色の豆。アジア各地でよく使われている。煮くずれしにくく、いため物やカレー、スープなどに幅広く使われる。

豆を使って簡単デザート

白玉あずき
249kcal 塩分0.2g
つるんとした白玉は
夏のデザートにぴったり

[材料] 作りやすい分量
あずき：1カップ
a ┌ 水：4カップ
  │ 氷砂糖：70g
  └ 塩：ひとつまみ
白玉粉：50g　水：大さじ3

[作り方]
1 大豆の粒こしょう煮（p.84）と同様に作業する。（ただし、蒸らす時間は20分ほど）
2 ボールに白玉粉を入れて、水を加えてなめらかになるまでこね、一口大に分けて丸める。
3 たっぷりの熱湯の中に入れ、浮いてきたら冷水にとり、ざるにあげてさます。
4 ゆでたあずきと白玉粉を器に盛り合わせる。

おしるこ
346kcal 塩分0.2g
冬の定番のおしるこの
手軽な作り方です

[材料] 作りやすい分量
あずき：1カップ
a ┌ 水：4カップ
  │ 氷砂糖：70g
  └ 塩：ひとつまみ
切りもち：4切れ

[作り方]
1 大豆の粒こしょう煮（p.84）と同様に作業する。（ただし、蒸らす時間は20分ほど）
2 もちは焼き網かオーブントースターで焼く。
3 ゆでたあずき、もちを器に入れ、熱湯を注ぐ。

緑豆ドリンク
71kcal 塩分0.0g
解毒作用のある緑豆は
熱さましにも効果的

[材料] 作りやすい分量
緑豆：2カップ
水：2ℓ

[作り方]
大豆の粒こしょう煮と同様に作業する。そのままさまし、保存びんに入れて冷蔵庫で保存する。2〜3日間は保存可能。

4. 家族の体調が悪いときには、
食欲が湧かないとき、

いつも元気でいたい。それはだれもが願うこと。
しかし、なかなかそうはいきませんね。でも、それは自然なこと。
一年には四季があり、体がその変化についていけないこともあります。
病気になると、わが子も病院の先生にお世話になります。
しかし、先生のお世話になる前に、
まず母親にできることがあるのではないでしょうか。
わが家には毎朝の恒例行事があります。
それは子供の舌を見ることと、
排便をチェックすることです。食べたら出す、それが人間です。
その出入りをチェックするのが、
いちばんわかりやすい方法だと思うのです。
私の母もいつも私にそうしてくれました。
たぶん祖母も私の母に同じことをやっていたはずです。
体調が悪いときは食事は控えめに。それが基本でしょう。
体の動きも鈍くなっているので、無理に動かすと、
かえって負担をかけて悪化させてしまいます。
体にやさしい食べ物で、おなかにたまらない消化のよいおかゆや
スープにします。そして体の回復を待ちましょう。
医者いらずですむこともたくさんあります。
自分で立ち直る力を養うこともたいせつです。
この役割は、母親以外のだれにできるというのでしょう。
母親の勘で、目で、実践してみましょう。
母親は、家族でいちばん頼りになる名医なのです。

そのときの症状に合ったメニューで
回復力アップのおかゆとスープ

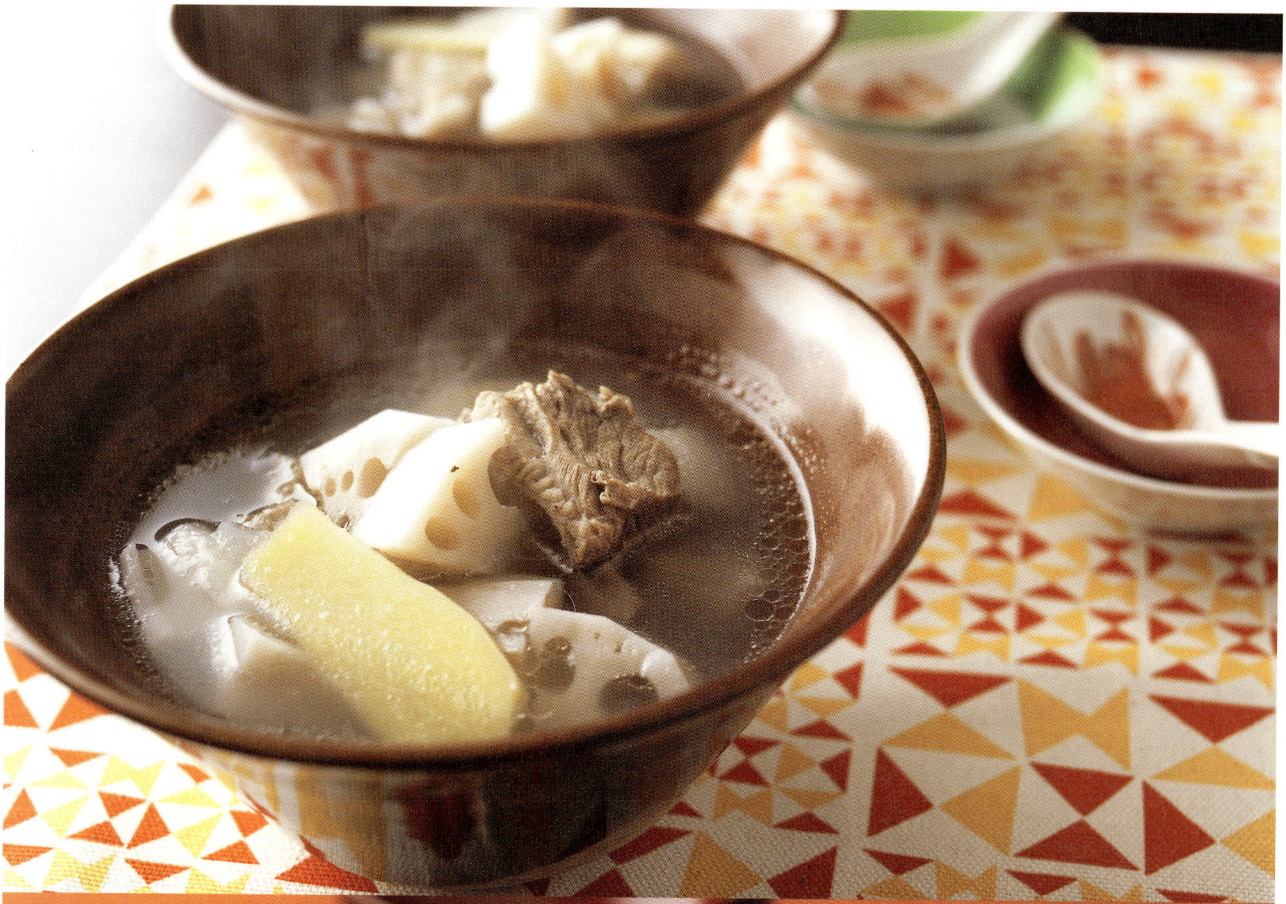

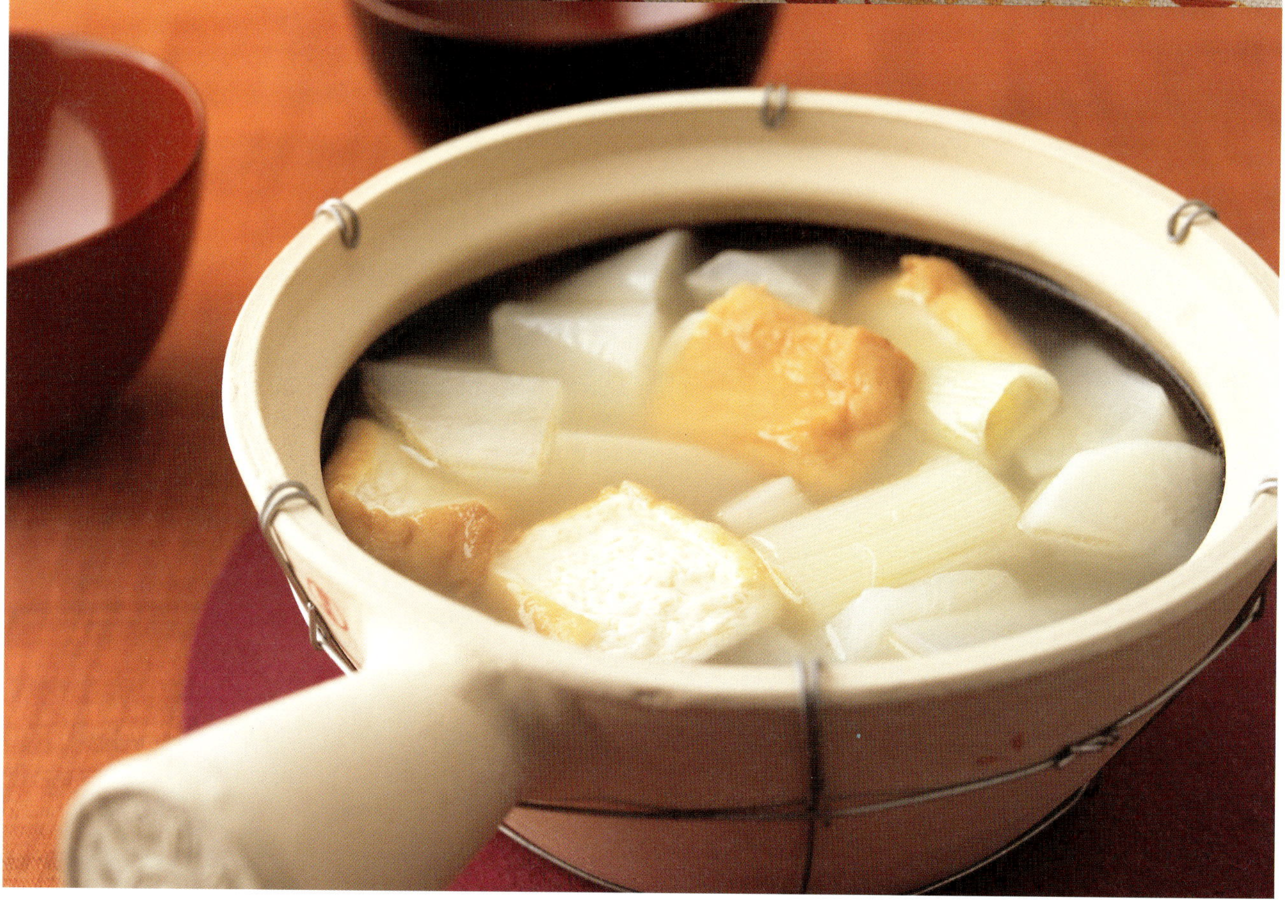

かぜをひいたとき

れんこんとしょうがのスープ（写真上）
299kcal 塩分1.7g

れんこんのでんぷんは、ごはん代わりになります。
痛んだのどにもとろみがやさしい。
発汗作用のあるしょうがも加えて、かぜ予防にも。

[材料]2人分
れんこん：200g
しょうが：50g
豚スペアリブ＊：200g
水：5カップ
酒：大さじ1
塩：小さじ1/2
こしょう：少量
＊スペアリブは、3cm幅ぐらいに切ってあるものを使う。

[作り方]
1 なべにスペアリブとたっぷりの水を入れて火にかけ、煮立ったら5分ほどゆでてアクを除く。
2 火から下ろして湯を捨て、水を注いで肉を洗い、余分な脂や小骨を除く。
3 ②を再びなべに入れ、水と酒を加えて火にかけ、煮立ったら弱火にし、ふたをして20分煮る。
4 れんこんは皮をむいて一口大の乱切りにし、薄切りにしたしょうがとともに③に加え、ふたをしてさらに20分煮る。
5 スープが白くなったら塩、こしょうを加えて調味する。

大根とねぎのあっさりスープ（写真下）
309kcal 塩分1.5g

体を温める大根とねぎは免疫力も高めます。
かぜを吹き飛ばすにはもってこいの食材ですね。
豆腐製品を加えてたんぱく質も確保。

[材料]2人分
大根：500g
ねぎ：1本
厚揚げ：1枚（300g）
サラダ油：大さじ1
酒：大さじ2
水：4カップ
塩：小さじ1/2
こしょう：少量

[作り方]
1 大根は皮をむいて一口大の乱切りにし、ねぎは3cm幅のぶつ切りにする。
2 厚揚げは熱湯をかけて油抜きをし、一口大に切る。
3 なべに油を熱し、厚揚げを入れ、酒を加えてふたをし、3分ほど酒蒸しにする。
4 ③に水を加え、大根とねぎを入れ、煮立ったら弱火にして20分煮る。塩、こしょうで調味して味をととのえる。

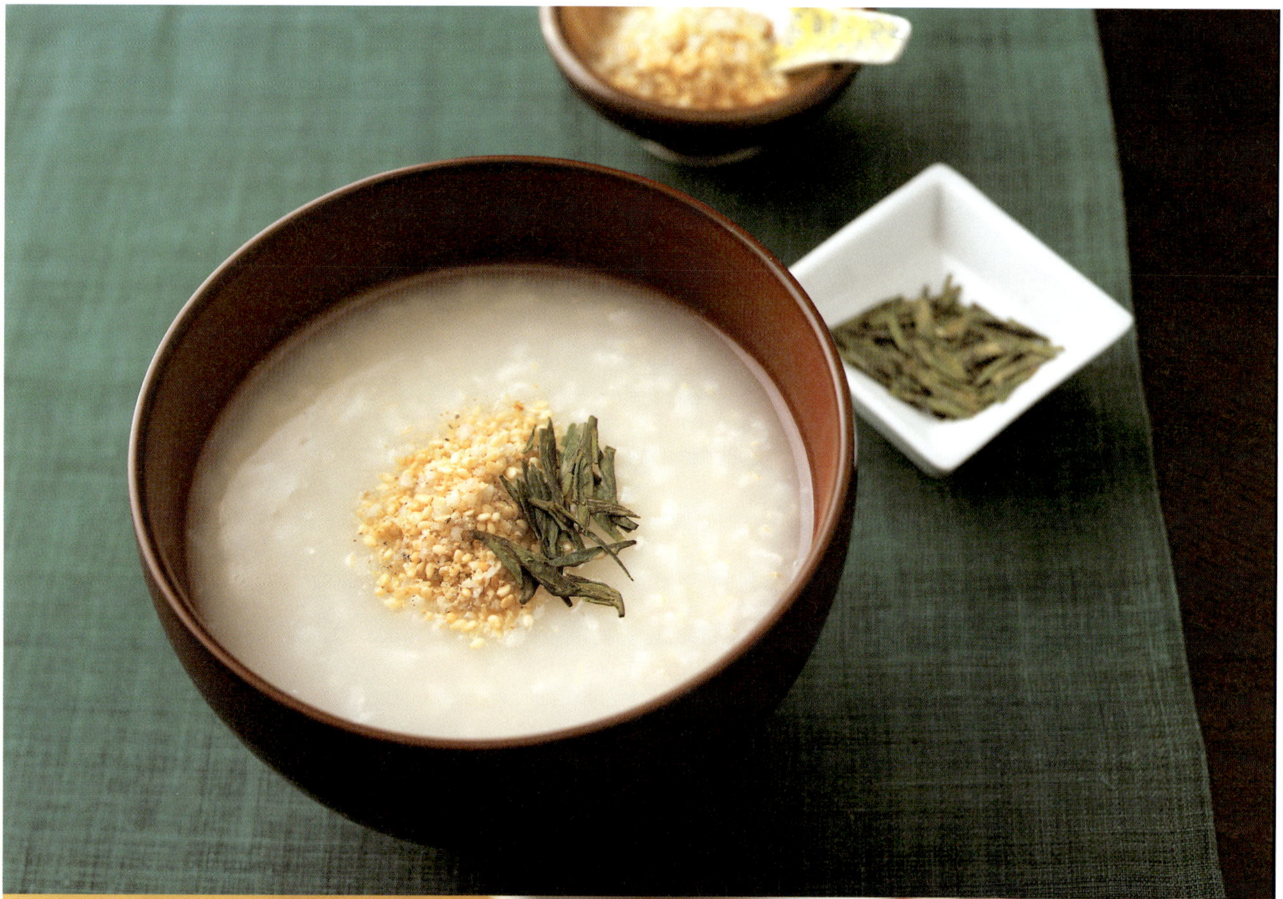

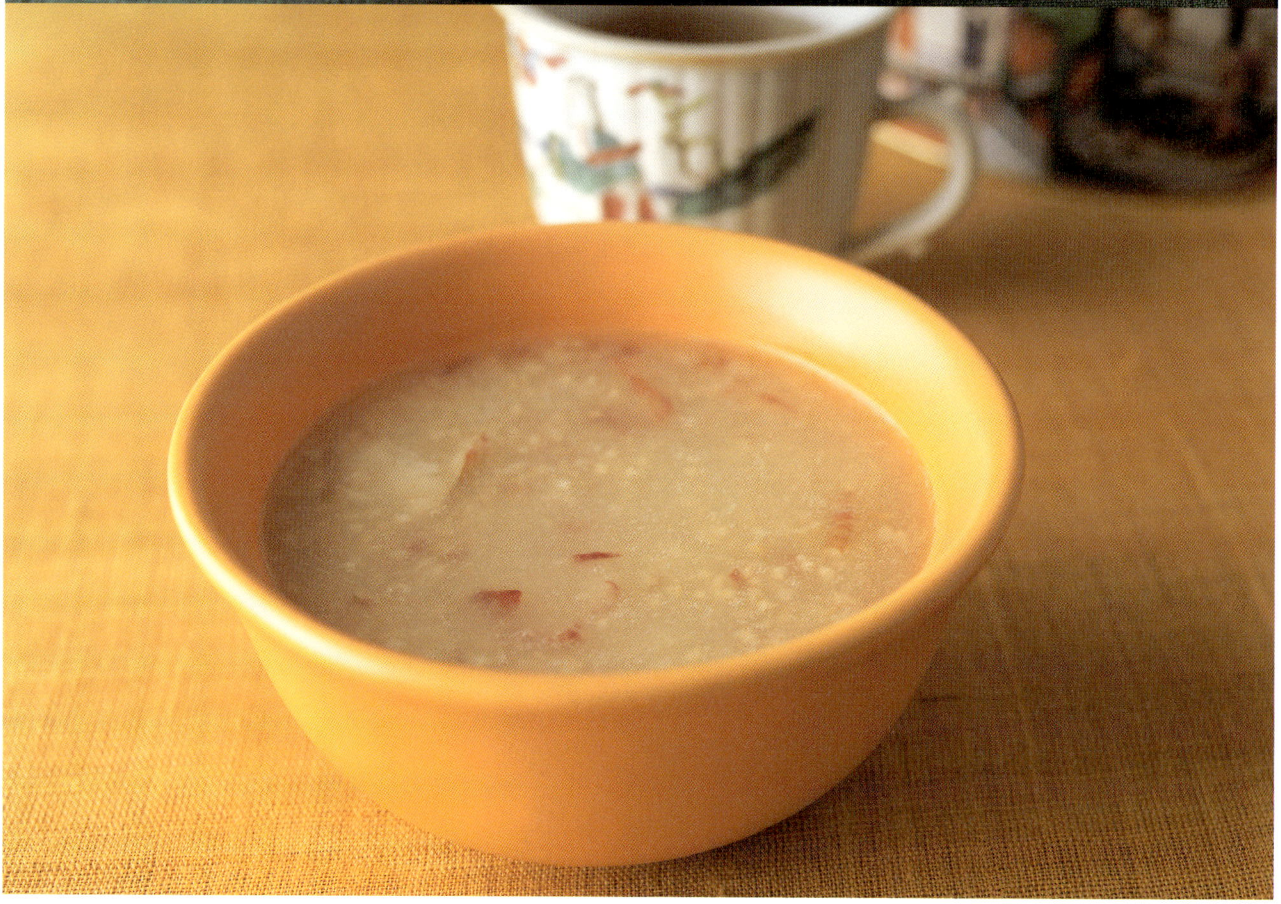

おなかの調子が悪いとき

胚芽米の七分がゆ （写真上）
340kcal 塩分1.2g

ビタミン剤といわれるほど
栄養価の高い胚芽米は、
白米よりも消化されやすいのも特徴。
ごまと解毒作用のある緑茶の茶葉をのせて。

[材料]2人分
胚芽精米：1カップ
水：7 1/2 カップ
a { すり白ごま：大さじ2
    あら塩：小さじ1/2
緑茶の茶葉（好みで）：少量

[作り方]
1 胚芽精米は軽く洗ってざるにあげて水けをきる。
2 なべに1と水を入れて火にかけ、煮立ったらふたをして弱火にし、1時間ほど煮る。
3 器に盛り、aを合わせて散らし、茶葉を添える。

すりおろしりんごのあわがゆ （写真下）
235kcal 塩分0.5g

中国では「りんごを食べると医者いらず」
という言葉があるほど。
穀類の中でも粒の小さいもちあわですが、
栄養価は大！

[材料]2人分
もちあわ：1カップ
水：9カップ
りんご：1個
しょうがすりおろし：1かけ分
塩：少量

[作り方]
1 もちあわはよく洗ってざるにあげて水けをきる。
2 なべに1と水を入れて火にかけ、煮立ったらなべ底にくっつかないように玉じゃくしなどでゆっくりとかき混ぜ、ふたをして弱火で1時間ほど煮る。
3 芯と種を除いたりんごは皮つきのまますりおろし、しょうが、塩と合わせる。煮上がったかゆに加え、混ぜ合わせる。

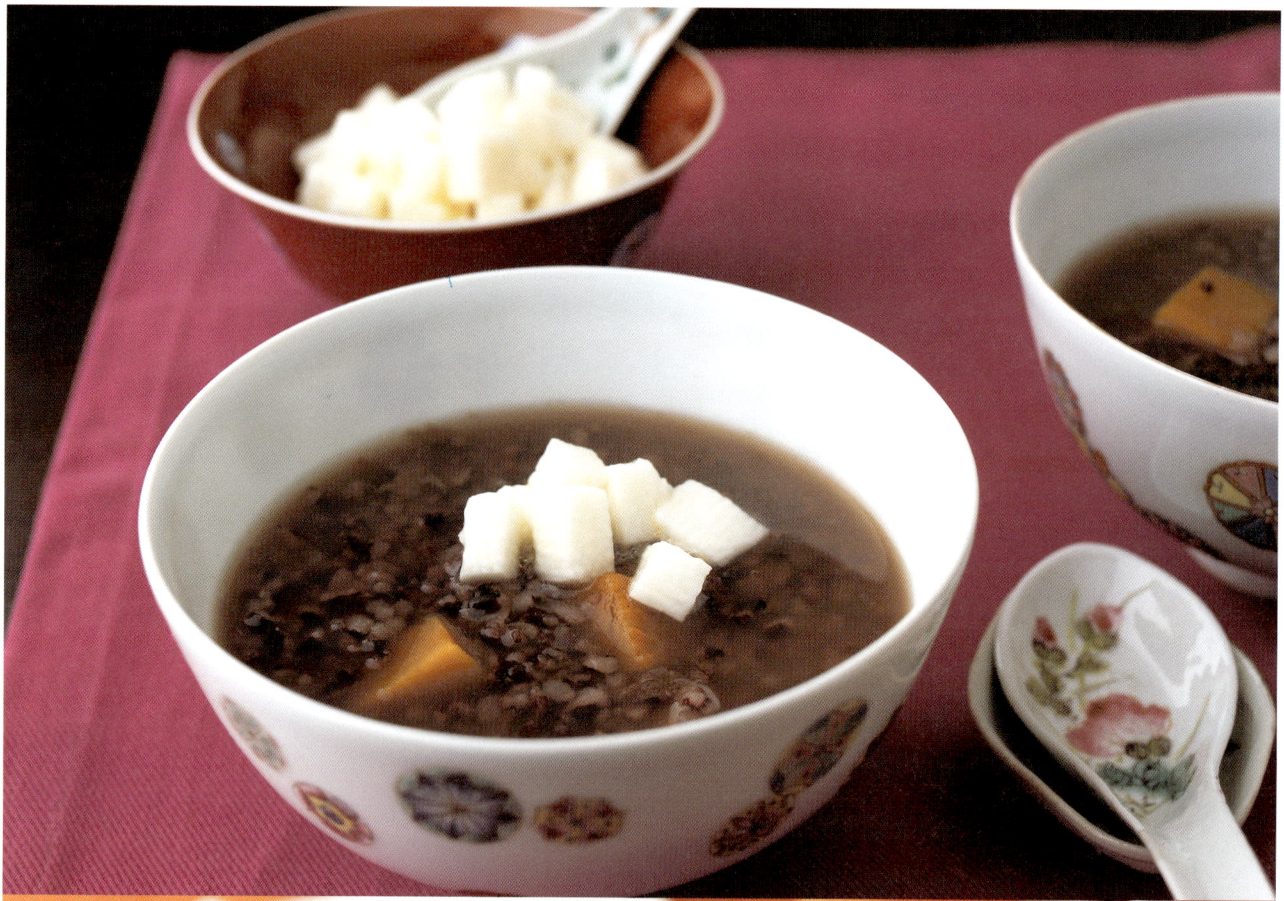

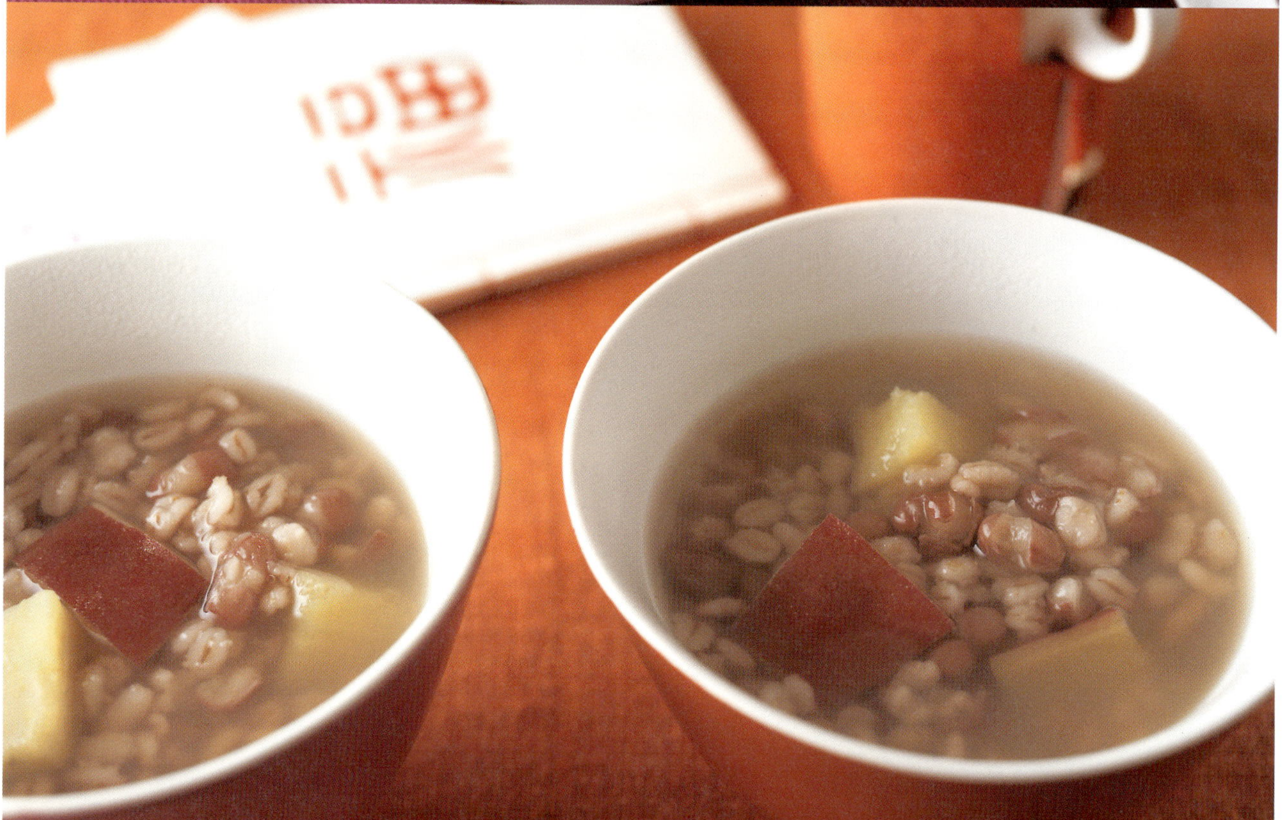

便秘になったとき

かぼちゃと山芋の黒米がゆ (写真上)
465kcal 塩分1.0ｇ

便秘には腸を活発にさせる食物繊維を
とることが第一。
かぼちゃと山芋はその代表格。
中国では薬膳として使われる黒米は
ビタミン、ミネラルも豊富。

[材料]2人分
黒米：1カップ
かぼちゃ：150ｇ
山芋：100ｇ
水：7 1/2 カップ
塩：小さじ1/3
ごま油：大さじ1

[作り方]
1 黒米はよく洗ってざるにあげて水けをきる。
2 なべに1と水を入れて火にかけ、煮立ったらふたをし、弱火で1時間煮、皮をむいて一口大に切ったかぼちゃを加え、さらに10分ほど煮る。
3 山芋は皮をむいて1.5cm角に切り、塩とごま油であえる。
4 煮上がったかゆに3をのせる。

金時豆とさつま芋の大麦がゆ (写真下)
445kcal 塩分0.0ｇ

豆も便秘に効く食材。
特に薄皮に食物繊維が多いのも特徴です。
腸内を正常に保つ大麦も効果大。
黒糖やきなこをかけてもおいしいですよ。

[材料]2人分
大麦(押し麦)：1カップ
金時豆：1/2 カップ
さつま芋：150ｇ
水：9カップ

[作り方]
1 金時豆はさっと洗って水けをきる。
2 なべに1と水を入れて火にかけ、煮立ったらふたをし、弱火で30分煮る。
3 2に大麦、皮をむいて1cm角に切ったさつま芋を加え、さらに30分煮る。金時豆の表面が割れ、大麦がふっくらしてかるくとろみが出たら火を消す。
★金時豆は大きさや鮮度によって、煮る時間が多少異なるので注意する。

Column

体の不調を予防、改善！体の中から効く薬効ドリンク

おなかに効く
黒砂糖入りしょうが湯
59kcal 塩分0.0g

子供がおなかをこわしたときにはまずこれに頼ります。しょうがは薬膳効果の高い食材。血行をよくし、体を芯から温めます。

[材料] 1人分
しょうがすりおろし：大さじ1
黒砂糖：15g
熱湯：150㎖
[作り方]
カップにしょうが、黒砂糖を入れ、熱湯を注ぐ。

しょうがの原産地は熱帯アジアで、昔から香辛料や薬用として使われていた。おもに料理の香りづけや薬味に利用。肉や魚の臭みを消し、食欲増進効果もある。

黒砂糖はさとうきびの搾り汁を煮つめたもの。糖度は低いが甘さは強めで独特の風味を持つ。一般の白砂糖よりもビタミンやミネラルを多く含むのも特徴。

かぜに効く
きんかん茶
7kcal 塩分0.0g

中国では「かぜ予防の薬」ともされるきんかん。
かぜのひきやすい冬には欠かせません。
のどの痛みも改善してくれるので、
お茶代わりにどうぞ。

[材料] 1人分
きんかん：2個　熱湯：150㎖
[作り方]
包丁の腹などで軽く押しつぶしたきんかんをカップに入れ、熱湯を注ぐ。

ミカン科に属するきんかんは中国が原産。

薬効食材を使って作るドリンクはとても簡単でお手軽。なにも口にできないときでも、とりあえずこれさえ飲めば安心できます。子供には少し甘めにすると飲みやすいでしょう。

疲れに効く
くこの実のホットドリンク

35kcal 塩分0.0g（1/10量）

くこの実は古くより漢方の一つとして使われてきました。疲労を回復させ、目の疲れにも効きます。お酒を飲める方は湯で割らずに、くこの実ワインでどうぞ。

[材料] 作りやすい分量
白ワイン：350ml　くこの実：30g

[作り方]
保存容器などに白ワインを入れ、くこの実を加え、約1週間漬ける。くこの実を漬けた白ワイン50mlを熱湯100mlで割る。

高さ1～2mのナス科の落葉木の実を乾燥させたもの。秋に美しい赤色に熟す。水でもどし、いため物やあえ物、スープ、かゆなど、中国料理では多く使われる。

便秘に効く
松の実とはちみつの ホットドリンク

131kcal 塩分0.0g

便秘がちですっきりしない日が続くと
毎日が憂鬱です。
松の実、はちみつはともに便通をよくする食材。
ゆっくり飲んで腸を活発に働かせて、
手軽に便秘解消。

[材料] 1人分
松の実：大さじ1（10g）　はちみつ：大さじ1
熱湯：150ml

[作り方]
松の実はからいりしてすりつぶし、カップに入れて熱湯を注ぎ、はちみつを加える。

マツ科の朝鮮五葉松の実。種子の殻をとって乾燥させたもの。中国、韓国では古くから長生不老薬ともされる。種実類の中でもビタミンEが豊富。

１週間のうち、家族で一日をゆっくり過ごせるのは休日です。
ふだんできないこと、なにか特別なことをしたい日でもあります。
ふだん家では母親ばかりが活躍しています。
ですから、時間のある休日にこそ、父親のすばらしさを見せてあげたいものです。
思いっきり体を使って外で遊ぶこともいいでしょう。
でも、料理のできるお父さんも、ちょっと魅力的だと思いませんか!?
父親といっしょに、子供たちを小麦粉料理に挑戦させてみてはいかがでしょう？
小麦粉料理には、作っていく過程でそれぞれ理屈があります。
その理屈の部分を父親に教えてもらうのです。お母さんは助手になって、
アドバイス役に徹し、お父さんにひと肌ぬいでもらいましょう。
いつもと違う特別な父親を見せる絶好のチャンスでもあります。
小麦粉料理は、楽しさ、たいへんさ、むずかしさ、
おいしさが一度にわかる料理です。
料理をとおし、子供たちはきっと、父親だけでなく母親のことも
理解してくれると思います。
わが家の子供たちは母の日に、いつもカードを贈ってくれるのですが、
毎年同じことが書いてあるので苦笑してしまいます。
「ママ、いつもありがとう。毎日おいしいごはんを作ってくれてありがとう！
これからもよろしくお願いします」と。
これではまるで、ごはんしか作れないママですね。
でも子供との信頼関係はしっかり築けていると思います。
「はい、がんばります！」といつも答えています。

5 みんなで手をかけて
週末、特別な日につくる

つくる料理はおいしさ倍増！
楽しい小麦粉料理

小麦粉料理の基本

小麦粉料理は単なる粉から料理へと
ドラマティックな展開をします。
そのおもしろさ、楽しさは実際に手でさわってみて
初めて実感できるはず。
むずかしそうに思われがちですが、
作業の基本は、コツさえ覚えてしまえば簡単です。
あとは気持ちを込めながら、
一つの作業を焦らずゆっくりと行なってください。
そうすれば、小麦粉と水がじょうずに結びついて、
粘りとコシのあるおいしい生地が作れます。

基本の生地を作る

1. ボールに小麦粉を入れ、菜ばしで混ぜ合わせ、水を3〜4回に分けてまわし入れる。水の量が少ない場合には4〜5回と、細かく分けて入れる。

2. 水をまわし入れるたびに、菜ばしで全体を大きくかき混ぜる。

3. さらによく混ぜると、粉はフレーク状にまとまり、しっとりとしてくる。

4. 粉にある程度水分を吸わせたら、全体に行きわたるまで指の先で混ぜる。生地が手から離れてきたら、粉に水分が入ったということ。

5. まとまってきたら、ここで初めてこねる。最初は体重をかけ、少し力を入れながらしっかりとこねる。

6. 生地のでこぼこがなくなり、しっとりしてきたらひとかたまりにまとめる。（表面は少しぼこぼこしている状態）

熱湯を使う場合

1 ボールに小麦粉を入れ、菜ばしで混ぜ合わせ、熱湯を一気にまわし入れ、すぐに菜ばしで全体を混ぜ合わせる。

2 熱湯を吸った粉は糊化して透明になる。

3 粉がなくなるまで菜ばしで練り混ぜる。

4 手でさわれるほどに生地の粗熱がとれたら一つにまとめる。

5 手のひらを使って生地が手から離れるまでしっかりこねる。

7 ぬれぶきんをかけて、ねかせる。

8 ねかせたあとの生地は、表面が少しなめらかになる。

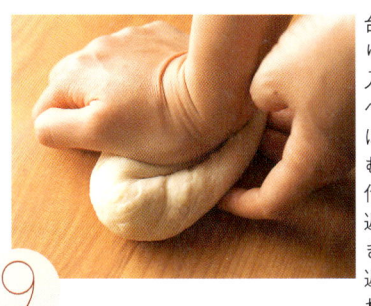

9 台に打ち粉少量をふり、手のひらに力を入れ、生地を向こうへ押し出すようにのばしては手前にたたむようにする。この作業を3回ほどくり返したら、生地の向きを変えながらくり返し、さらによくこねる。

10 表面につやが出てなめらかになったら、生地を楕円形にまとめる。

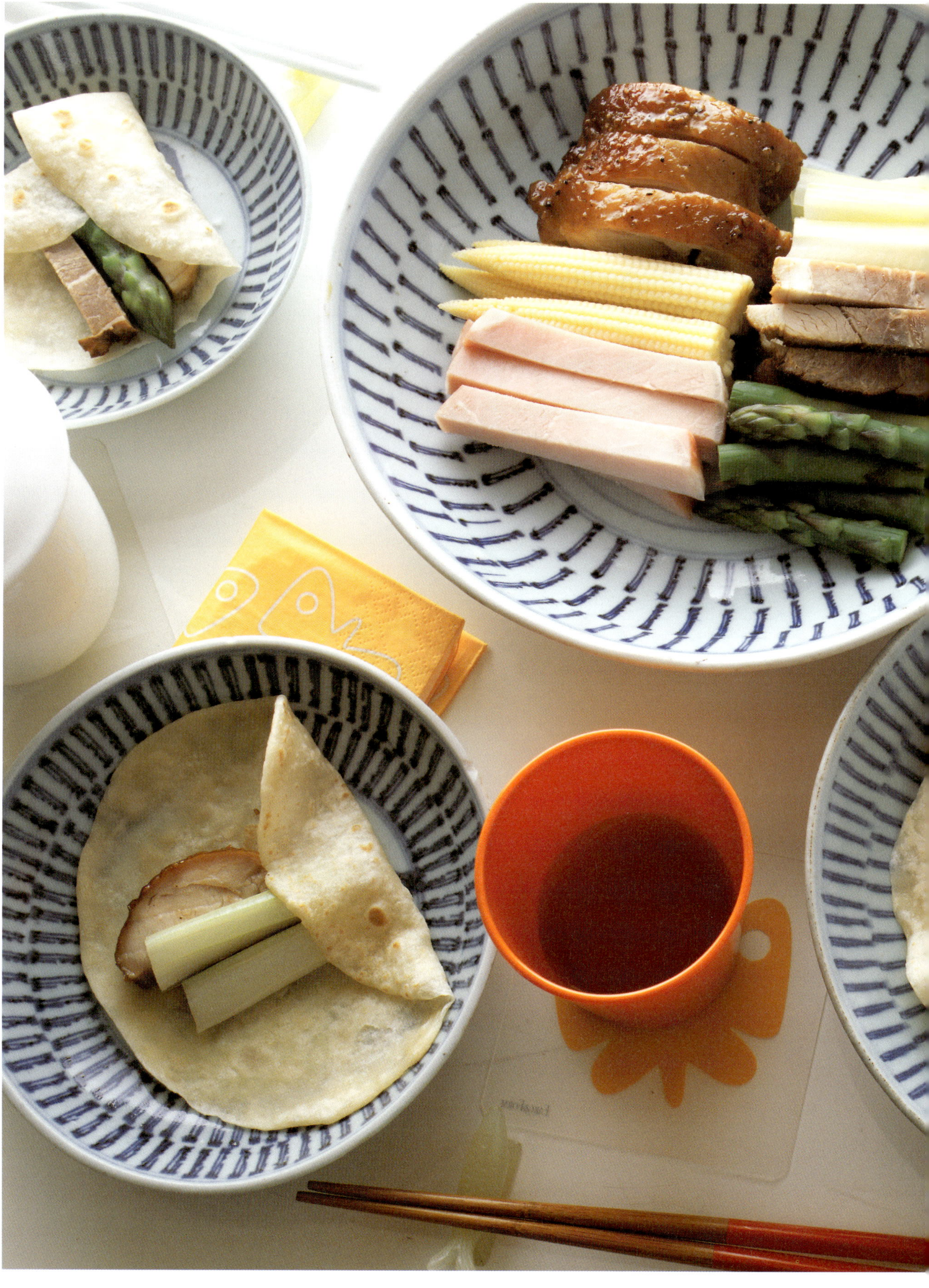

春餅
[チュンビン]

チュンピンといえば
春の訪れを感じる行事食。
小麦粉を薄く焼き、
その皮にいろいろな具を
巻いて食べます。
焼いた生地はふくらんで
2枚の皮になり、
その変化は目でも楽しめます。
休日のブランチに、家族みんなで
チャレンジしてはいかがでしょう。
「ぼくはお肉！」、「私は野菜！」
お肉も野菜もバランスよく巻くと
もっとおいしいのよ！

春餅[チュンピン]
53kcal 塩分0.0g（1枚分）

[材料]16枚分
＊生地
強力粉：100g
薄力粉：100g
熱湯：170ml
サラダ油：大さじ1

＊生地を作る
（詳細はP98～99「熱湯を使う場合」を参照）
[作り方]
① ボールに強力粉と薄力粉を入れ、菜ばしで混ぜ合わせ、表面は平らの状態にする。
② ①に熱湯を一気にまわし入れ、すぐに菜ばしで全体を混ぜ合わせる。熱湯を吸った粉は糊化して透明になる。
③ 粉がなくなるまで練り混ぜる。
④ 手でさわれるほどに生地の粗熱がとれたら、手のひらを使って生地が手から離れるまでしっかりとこねる。
⑤ 生地のでこぼこがなくなり、しっとりしてきたら、ひとかたまりにまとめる。（表面は少しぼこぼこしている状態）
⑥ ぬれぶきんをかけて、30分ほどねかせる。

＊皮を作る
① 台に打ち粉少量をふり、生地を手のひらでさらによくこねる。（写真1）
② 表面につやが出てなめらかになったら生地を楕円形にまとめる。（写真2）
③ 包丁で生地を横半分に切り、2等分し、切り口に打ち粉をまぶす。（写真3）
④ 切り分けた生地は、中央に力を入れながら、20cm長さの棒状に均等にのばす。（写真4,5）
⑤ 1本ずつ90度にまわしながら、8等分に切り分ける。（写真6,7）
⑥ 切り分けた生地に打ち粉をし、全体にまぶす。（写真8）
⑦ 切り口を上にして、手のひらで軽く押しつぶす。（写真9,10）
⑧ 生地の中心をつまんで持ち、油をつけ、その面をもう1つの生地に重ね合わせ、手のひらで軽く押しつぶす。（重ねる生地はなるべく同じ大きさのものを選ぶ）（写真11～13）
⑨ めん棒で生地の中心からまわしながらのばし、直径15～16cmくらいにする。（写真14～15）

*焼く

1 なべを中火で熱し、のばした生地を焼く。(写真16)
2 生地の色が全体に変わってきたらすぐに裏返して焼く。(写真17)
3 生地がぶつぶつとして、ふくらんできたらさらに裏返す。(写真18)
4 生地全体に少し焦げ目がついたら器にとり出す。(写真19)
5 すぐ2枚にはがし、焼き目を外側にして半分に折る。(写真20,21)

★でき上がった春餅にハムや鶏の照り焼きなどの市販の肉やアスパラ、ヤングコーン、セロリなどのスティック野菜を巻いていただく。

春餅の北京ダック
333kcal 塩分1.7g

中国料理屋さんでは
おなじみの北京ダック。
少し豪華にしたいときには
鴨肉を用意して、
本格北京ダックにチャレンジ。

[材料] 4人分
合鴨ロース肉：1枚(300g)
ねぎ：20cm(35g)
はちみつ：大さじ1
甜麺醤：大さじ4
春餅：16枚

[作り方]
1 鴨肉は、全体にまんべんなくはちみつを塗り、1時間おく。ねぎはせん切りにする。
2 なべを熱し、鴨肉の皮を下にして入れ、両面を蒸し焼きにする。
3 焼き色ができ、菜箸などを刺して肉汁が出てきたらとり出し、薄切りにする。
4 春餅に3、ねぎ、甜麺醤をのせて巻く。

★焼く時間は鴨肉の大きさによって多少違うが、約12～16分。

炸醬麺
[ジャージャーメン]

「手打ちめん」といえば
お父さんの仕事という感じがしませんか?!
ふだんはあまり料理をしないお父さんに
手打ちめんをマスターしてもらい、
子供たちに披露してはいかがでしょうか。
具は肉みそといっしょに、
春はアスパラ、夏はきゅうり、
秋にはきのこ、冬にはほうれん草など、
季節の野菜を加えましょう。

545kcal 塩分3.0g

[材料] 4人分
＊生地
強力粉：200g
水：80ml

＊生地を作る（詳細はP98〜99を参照）
・水は4〜5回に分けてまわし入れる。
・ねかせる時間は約1時間。

＊めんを作る
1 生地は手でよくこねて丸くまとめ、手のひらで平たくし、20cmくらいまでめん棒でのばす。（写真1、2）
2 1に打ち粉をし、めん棒を90度にまわし、中心から押しのばす作業をくり返す。中心の生地が薄くなってきたら、少量の打ち粉をふりながらめん棒に巻きつけてのばす。（写真3〜5）
3 直径40cmくらいになるまでのばしたら、生地の厚みが均等になるように調節してのばす。（写真6、7）
4 のばした生地にたっぷりの打ち粉をし、手前からめん棒に巻きつけて巻き終わったら、めん棒の上から直線に切る。（写真8、9）
5 生地を広げ、包丁で3mm幅に切り、切っためんを持ち上げて手でほぐす。（写真10〜12）

＊具（肉みそ）を作り、仕上げる
[材料] 4人分
豚バラ薄切り肉（1cm幅に切る）：200g
サラダ油：大さじ2
a ｛ しょうがのみじん切り：1かけ分
    酒：大さじ1
b ｛ みそ（甘口）：120g
    甜麺醤：大さじ3
ねぎのみじん切り：10cm分
きゅうりのせん切り：2本分

[作り方]
1 なべに油を熱し、豚肉を入れていため、aを加えて香りがたったら混ぜ合わせたbを加え、4〜5分ほどじっくりといためる。さらにねぎを加え、いため合わせる。
2 なべにたっぷりの湯を沸かし、余分な打ち粉を落としてめんをゆでる。（目安はめんに透明感が出てくるまで。約4〜5分）
3 冷水にとってざるにあげ、器に盛り、1ときゅうりをのせる。

長寿麺
[チャンショウメン]

年に一度の誕生日。
そんな家族の特別な日に、手打ちめんのごちそうは
どんなプレゼントよりも愛情がこもっています。
めんを一本ずつ手でのばしていくのが長寿麺の特徴。
中国では、誕生日にこの長いめんを食べると
長寿になるという言い伝えもあります。

300kcal 塩分2.4g

[材料]4人分
＊生地
薄力粉：100g
強力粉：100g
水：130ml

＊生地を作る（詳細はP98〜99を参照）
・水は3回に分けてまわし入れる。
・ねかせる時間は約1時間。

＊スープを作る
[材料]4人分
鶏骨つき肉：300g
酒：大さじ1
粒黒こしょう：5粒
水：1.8ℓ
[作り方]
鶏肉は一度ゆでこぼし、再びなべに入れる。すべての材料を加えて煮立たせたら、弱火で1時間煮てこす。

＊めんを作る
1 台に打ち粉をふり、ねかせた生地をとり出してめん棒でのばしていく。(写真1,2)
2 生地にも打ち粉し、直径30cmほどになるまでのばし、めん棒を定規にしながら1cm幅に切る。(写真3,4)
3 めんの両端を持って両手を上下に動かし、めんの中心を台に打ちながら1mほどにのばしていく。(写真5,6,7)

＊具の下準備をする
a {
うずら卵（ゆで）：8個
むきエビ（さっと下ゆでし、背わたなどを除いてきれいに洗う）：100g
イカ（さっと下ゆでし、切り目を入れて一口大に切る）：100g
小ねぎ（小口切りにする）：10本
}
塩：小さじ1
こしょう：少量

＊仕上げる
煮立たせたスープにめんを1本ずつのばし入れてゆで（写真8）、具のaの材料を入れ、塩、こしょうで味をととのえる。

1　2　3　4
5　6　7　8

コーンの
シューマイ
海鮮蒸し
ギョーザ

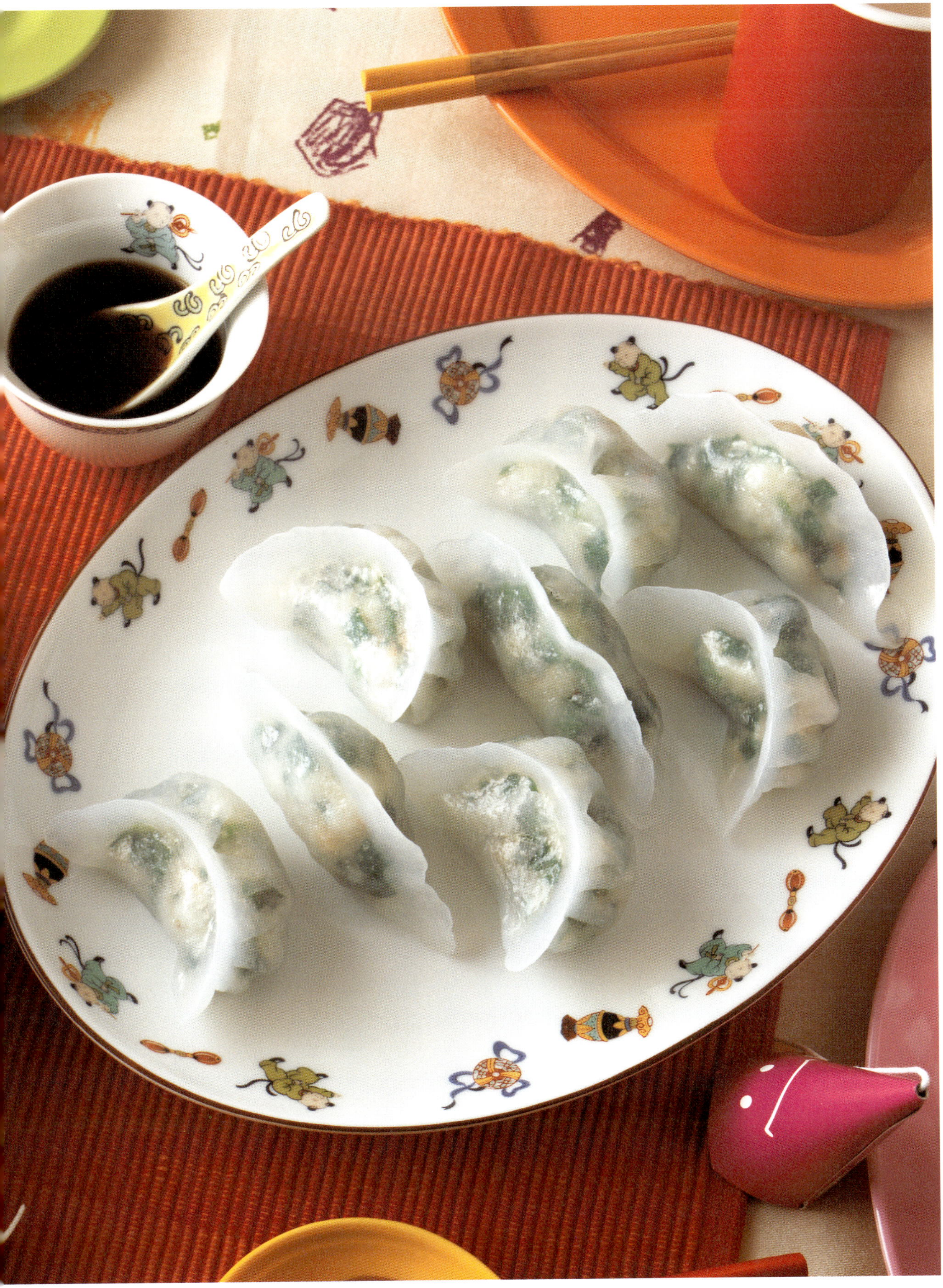

おなじみのシューマイや、ギョーザ。
日本では市販の皮がたくさん出まわっていますが、
中国では手作りの皮はあたりまえ。
なぜなら、やっぱり手作りは味が違います。
休日にお友達を招いて、楽しい飲茶パーティーなんていかがでしょう。
シューマイには子供たちが大好きなコーンを入れて、
ギョーザはうき粉を使った透明なギョーザです。

コーンのシューマイ

344kcal 塩分1.5g

[材料]24個分
＊生地
薄力粉：100g
熱湯：70ml

＊生地を作る
（詳細はP98〜99「熱湯を使う場合」を参照）
・生地は春餅（P102）と同じ要領で作る。
・ねかせる時間は15分ほどにし、生地は完全にさます。

＊あんを作る
[材料] 24個分
豚ひき肉＊：300g
玉ねぎのみじん切り：1/2個分（100g）
コーン缶詰め（ホールタイプ）：60g
a ┃酒：大さじ1
　┃しょうゆ：大さじ1/2
　┃オイスターソース：大さじ1 1/2
　┃塩：少量
　┃こしょう：少量
b ┃卵白：1個分
　┃かたくり粉：大さじ5
ごま油：大さじ1/2
＊豚ひき肉はなるべく赤身のものを選ぶ。

[作り方]
1 ボールに豚ひき肉を入れて、aを順に加えて調味し、混ぜ合わせる。
2 合わせたbを加えてさらによく混ぜ、ごま油で香りをつけ、玉ねぎ、コーンも加え合わせる。

＊皮を作る
1 生地を手のひらでなじませるようによくこねる。（写真1）
2 生地の表面につやが出てなめらかになったら、楕円形にまとめる。（写真2）
3 包丁で生地を2等分し、切り口に打ち粉をまぶし、15cm長さの棒状に均等にのばす。（写真3）
4 1本ずつ90度にまわしながら、12等分に切り分ける。（写真4,5）
5 切り分けた生地に打ち粉をし、全体にまぶし、切り口を上にして手のひらで軽く押しつぶす。（写真6,7）
6 左手で生地の縁をつまむように持ち、右手のめん棒で力を入れて中心に向かって押しのばしては、力を抜いて手前に戻す。（写真8,9）
7 生地を30度ほど回転させ、同じ要領で押しのばしをくり返し、直径8cmの丸い形にのばしていく。（写真10）

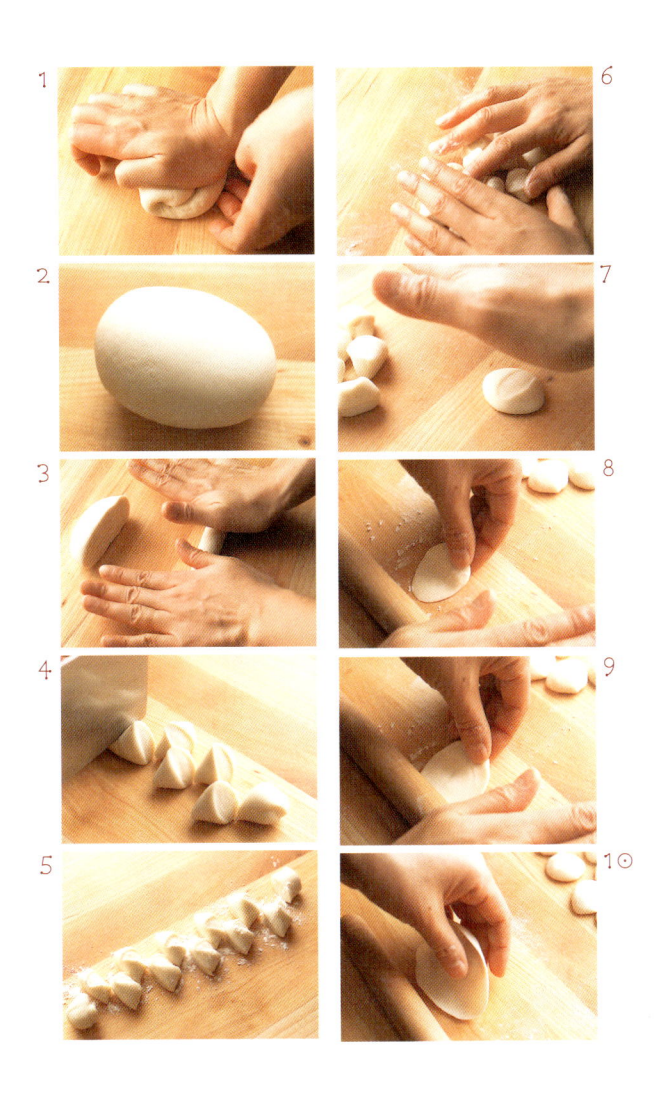

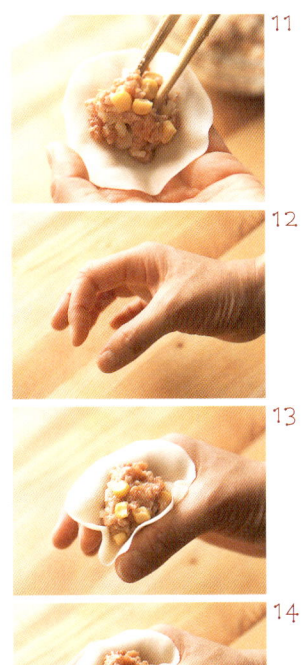

*あんを包み、蒸す

1 左手に皮をのせ、中心にあんをのせる。(写真11)

2 右手の親指とひとさし指で形をとり、1をのせる。(写真12、13)

3 左手で底を支えながら持ちかえ、形を作る。(写真14、15)

4 左手にのせ、両手で全体の形を整える。(写真16)

5 しっかりと蒸気の上がった蒸し器に入れ、強火で15分蒸す。(写真17)

海鮮蒸しギョーザ
228kcal 塩分1.5g

[材料]24個分
*生地
うき粉：100g
かたくり粉：40g
塩：小さじ1/3
熱湯：220ml

*生地を作る
（詳細はp.99「熱湯を使う場合」を参照）
1 ボールにうき粉、塩を入れ、菜ばしで混ぜ合わせ、熱湯を一気に回し入れ、すぐに菜ばしで全体を混ぜ合わせる。（写真1,2）
2 粉がなくなるまで練り混ぜたら、かたくり粉を加える。（写真3,4）
3 手でさわれるほどに生地のあら熱がとれたら、生地が手から離れるまでしっかりとこねる。（写真5,6）
4 生地のでこぼこがなくなり、しっとりしてきたらひとかたまりにまとめ、ボールをかぶせて15分ほどねかせる。（写真7）

*あんを作る
[材料] 24個分
むきエビ：300g
にら：1/2束（50g）
a ┌ 酒：大さじ1
  │ 鶏がらスープのもと：小さじ1
  │ 塩：少量
  │ こしょう：少量
  │ かたくり粉：大さじ1
  └ ごま油：大さじ1

[作り方]
1 むきエビは背わたを除き、流水で洗って水けをよくふき、あらく刻む。
2 ボールに1を入れ、aを順に加えて調味する。
3 0.5cm長さに切ったにらを加えて混ぜ合わせる。

*皮を作る
1 生地を手のひらでなじませるようによくこねる。（写真8,9）
2 表面につやが出てなめらかになったら生地を楕円形にまとめ、包丁で生地を2等分し、切り口に打ち粉をまぶし、15cm長さの棒状に均等にのばす。（写真10,11）
3 1本ずつ90度にまわしながら、12等分に切り分け、かたくり粉かうき粉で打ち粉をし、全体にまぶす。（写真12,13）
4 切り口を上にして手のひらで軽く押しつぶす。（写真14）
5 両手を使ってめん棒でゆっくりと押しのばす。生地を30度ほど回転させ、同じ要領で押しのばしをくり返し、直径7cmほどにのばしたら、縁の皮だけ薄くなるようにさらに直径10cmまでのばす。（写真15～17）

*あんを包み、蒸す。

1. 左手に皮をのせ、中心にあんをのせる。(写真18)
2. 半分に折り、皮の手前と向こう側の真ん中を少し引っ張って合わせてとめる。(写真19)
3. 手前側の縁の中心から上1/3の所でつまんでひだをつけて閉じ、残りの部分も同じようにつまんで閉じる。(写真20)
4. 逆側も同様に縁の中心から1/3の所でつまんで閉じ、残りの部分もつまんで閉じる。(写真21)
5. ひだを整えて仕上げる。(写真22,23)
6. しっかりと蒸気の上がった蒸し器に入れ、強火で8分蒸す。(写真24)

★子供が簡単にできるギョーザの包み方
皮の端をつまみながら、閉じるだけでもだいじょうぶ!

Column

わが家の簡単手作りおやつ

お茶入り揚げドーナツ
111kcal 塩分0.1g（1個分）

[材料] 12個分
- a ┌ 薄力粉：150g
  └ ベーキングパウダー：小さじ1
- b ┌ 卵：1個
  └ ショートニング：大さじ1
- 黒砂糖：50g
- 緑茶（粉末状につぶす）：10g
- 揚げ油：適量

[作り方]
1. ボールにふるい合わせた **a**、**b** を入れてよく混ぜ、手でよくこねる。
2. 打ち粉をふった台に移してさらによくこね、12等分し、一つずつ丸める。
3. 揚げ油を120～130℃に熱して②をゆっくり揚げ、口のように開いたら温度を少しあげ、こんがりと揚げる。

3種のクッキー
183kcal 塩分0.1g（1枚分）

[材料] 12枚分
- a ┌ 薄力粉：200g
  └ ベーキングパウダー：小さじ1
- いりアーモンド（砕く）：20g
- ショートニング（室温でもどす）：80g
- 黒砂糖：80g
- 卵（割りほぐす）：1個
- b ┌ 重曹：小さじ1/3
  └ 水：小さじ2
- 粒アーモンド・くるみ・松の実：各適量

[作り方]
1. **a** は合わせてふるい、アーモンドを加えて混ぜる。
2. ボールにショートニングを入れてよく練り、クリーム状になったら黒砂糖を加えてさらに混ぜる。
3. ②に卵を2～3回に分けて加え混ぜ、なめらかになったら **b** を加えてよく混ぜる。（卵は小さじ1くらい残しておく）
4. ③に①を加え、ねばりを出さないようによく混ぜる。
5. ④の生地を一つにまとめ、12等分して丸めて平たくする。③で残した卵液を塗り、アーモンド、くるみ、松の実をそれぞれのせる。
6. 190℃のオーブンで約15分焼く。

育ち盛りの2人の子供がいるわが家でも、おやつは欠かせません。でもやっぱりわが子のためですもの！愛情こもった手作りのものを食べさせてあげたいですね。
手軽で、体にもやさしい素朴なおやつはわが家の定番。パーティーのおみやげにも大好評です。

マンゴープリン

351kcal 塩分0.1g（1個分）

[材料] 2個分

a ┌ マンゴーピューレ（市販品）＊：350g
　├ 牛乳：1/3カップ
　├ 生クリーム：1/3カップ
　└ グラニュー糖：20g

レモン汁：大さじ1
ゼラチン：8g
水：大さじ1 1/2

＊市販品がない場合には、マンゴーを一口大に切ってミキサーにかける。

[作り方]
1️⃣ ゼラチンは水にふり入れ、しっかりとふやかしておく。
2️⃣ なべに a を入れ、1️⃣を加えて弱火にかけ、ゆっくりと煮とかす。
3️⃣ レモン汁を加え、あら熱がとれたら器に流し入れ、冷蔵庫で1〜2時間ほど冷やしかため、好みで生クリームをのせる。

あつあつごま団子

109kcal 塩分0.1g（1個分）

[材料] 12個分

白玉粉：150g
水：140〜150mℓ

a ┌ こしあん（市販品）：200g
　├ ショートニング：20g
　└ 塩：少量

いり白ごま：適量
揚げ油：適量

[作り方]
1️⃣ ボールに白玉粉を入れ、水を少量ずつ加えては混ぜ、粉のだまがなくなるまでよく練り、12等分し、直径3cmぐらいの大きさに丸める。
2️⃣ a の材料を混ぜ合わせ、12等分にする。
3️⃣ 1️⃣を手の中心において平らにし、2️⃣のあんをのせて包み込むように丸めて、白ごまをまんべんなくまぶす。
4️⃣ 揚げ油を150℃に熱し、3️⃣を入れてごまが色づくまでゆっくりと揚げる。

6 ときには自分のための

自分のために何かをしたり、楽しまないと、
長続きしないことがあります。忙しい一日の中で、
少しだけ自分だけの時間をつくって、
自分のためのことをしましょう。
母親は、家庭の中でがまんしなければならないことが
数多くあります。
家族のためにそれも必要ですが、
たまには発散しないと健康にもよくないはずです。
いつも家族に合わせる毎日の中で、
自分だけの時間や食事のメニューを決めておくとよいでしょう。
一人きりの昼食は簡単にすませがちですが、
体の中からきれいになる食材を選ぶだけでも、
食事の内容はぐっとよくなりますし、心も豊かになります。
母親が疲れていらいらしていると、周囲の人もがっかりです。
お母さんがいつも笑顔で美しくいることは、
家族の幸せにもつながるでしょう。
私は仕事がいくら忙しくても、
かならず自分の時間をつくります。
夜遅く、家族が寝静まったあとに、
お茶を飲みながらほっと一息つくのです。
「今日は何のお茶にしよう？」
一杯のお茶をあれこれ選ぶのも楽しみの一つ。
一日でいちばんおちつくことのできる、
たいせつな時間でもあります。
「思いきって自分のためにお料理を！」
大賛成、応援します。この時間があるからこそ、
明日もがんばることができるのです。

ごほうび料理を楽しんで
お母さんのための美人献立

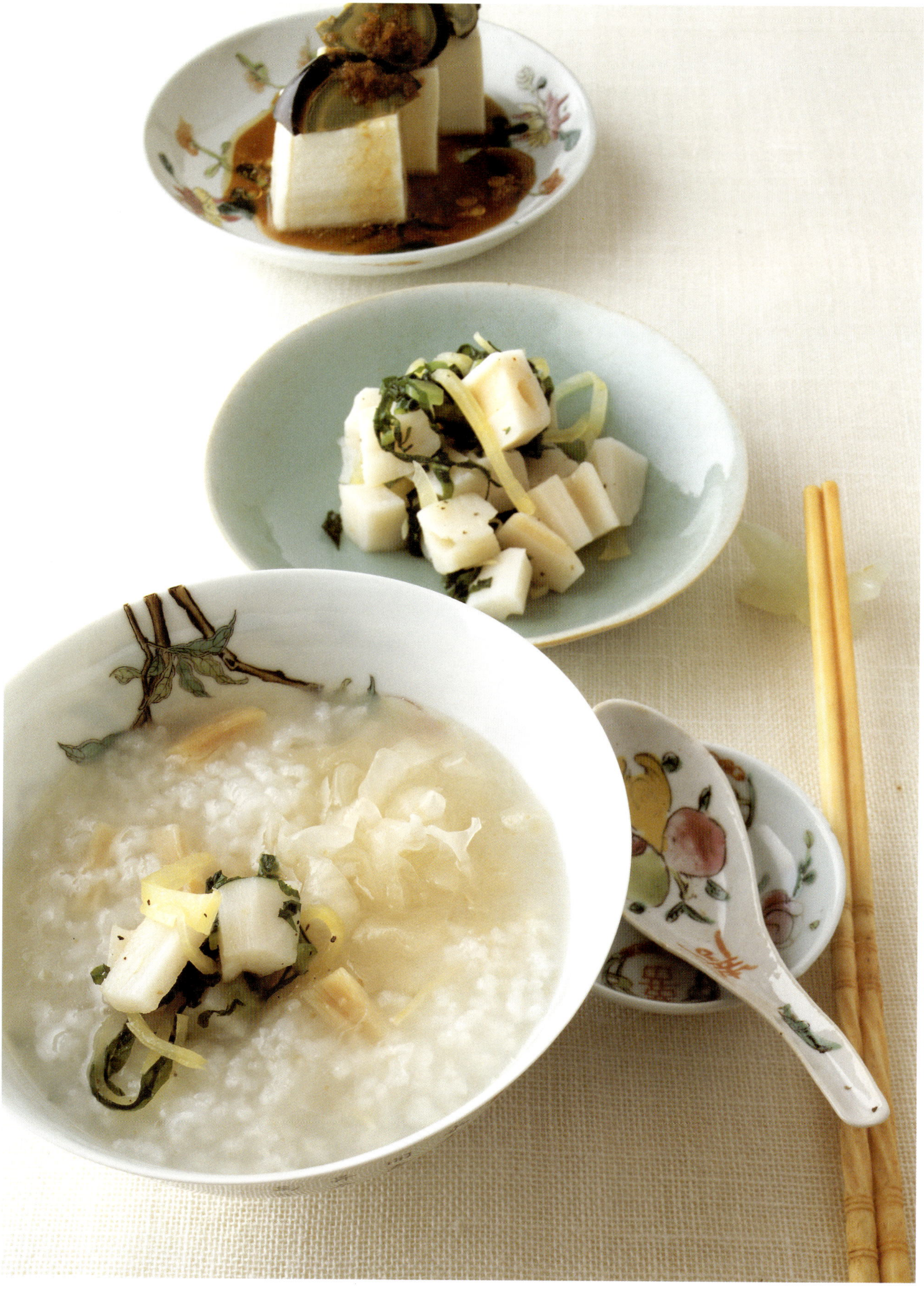

美肌をつくるヘルシー献立

少し時間に余裕がある日にはコトコトおかゆを炊いて、気分をゆったりとさせては？
乾物のうまみがやさしい味わいです。
きくらげは美肌に効く代表的な食材。
食物繊維たっぷりで、血液をきれいにする作用も。
体の底から美人になれるはずですよ。

ホタテと白きくらげの美人がゆ

350kcal 塩分3.6g

[材料]2人分
米：1カップ
ホタテ貝柱(乾)：4個
白きくらげ(乾)：5g
水：9カップ
ごま油：大さじ1/2
塩：小さじ1
こしょう：少量

[作り方]
1 ホタテ貝柱はたっぷりの水につけて一晩もどし、細かくほぐしておく。白きくらげは水に30分ほどつけ、一口大にさく。
2 米はよく洗ってざるにあげて水けをきる。
3 なべに米、ホタテ貝柱、白きくらげを入れ、水を加えて火にかけ、沸騰したらふたをして弱火で約1時間煮る。なべ底にくっつかないように、途中で1～2回やさしくかき混ぜる。
4 塩、こしょうで調味し、ごま油を加えてひと混ぜする。

Menu

ホタテと白きくらげの美人がゆ
ピータン豆腐
れんこんのつけものあえ

ピータン豆腐

288kcal 塩分2.6g

[材料]2人分
絹ごし豆腐：1丁
ピータン：2個
たれ
a ┤しょうがすりおろし：大さじ1
　│しょうゆ：大さじ1
　│酢：大さじ1/2
　└ごま油：大さじ1

[作り方]
1 豆腐は水けをきって一口大に切って器に盛る。
2 ピータンは殻をむいて乱切りし、豆腐の上にのせ、混ぜ合わせた a をかける。

れんこんのつけものあえ

129kcal 塩分0.7g

[材料]2人分
れんこん：200g
酢：小さじ1強
野沢菜漬け：30g
たくあん：30g
こしょう：少量
ごま油：大さじ1

[作り方]
1 れんこんは皮をむいて一口大に切り、たっぷりのお湯に酢を加えて7～8分煮る。水にさらして水けをきる。
2 野沢菜漬け、たくあんは細切りにする。
3 1 と 2 と合わせ、こしょう、ごま油であえる。

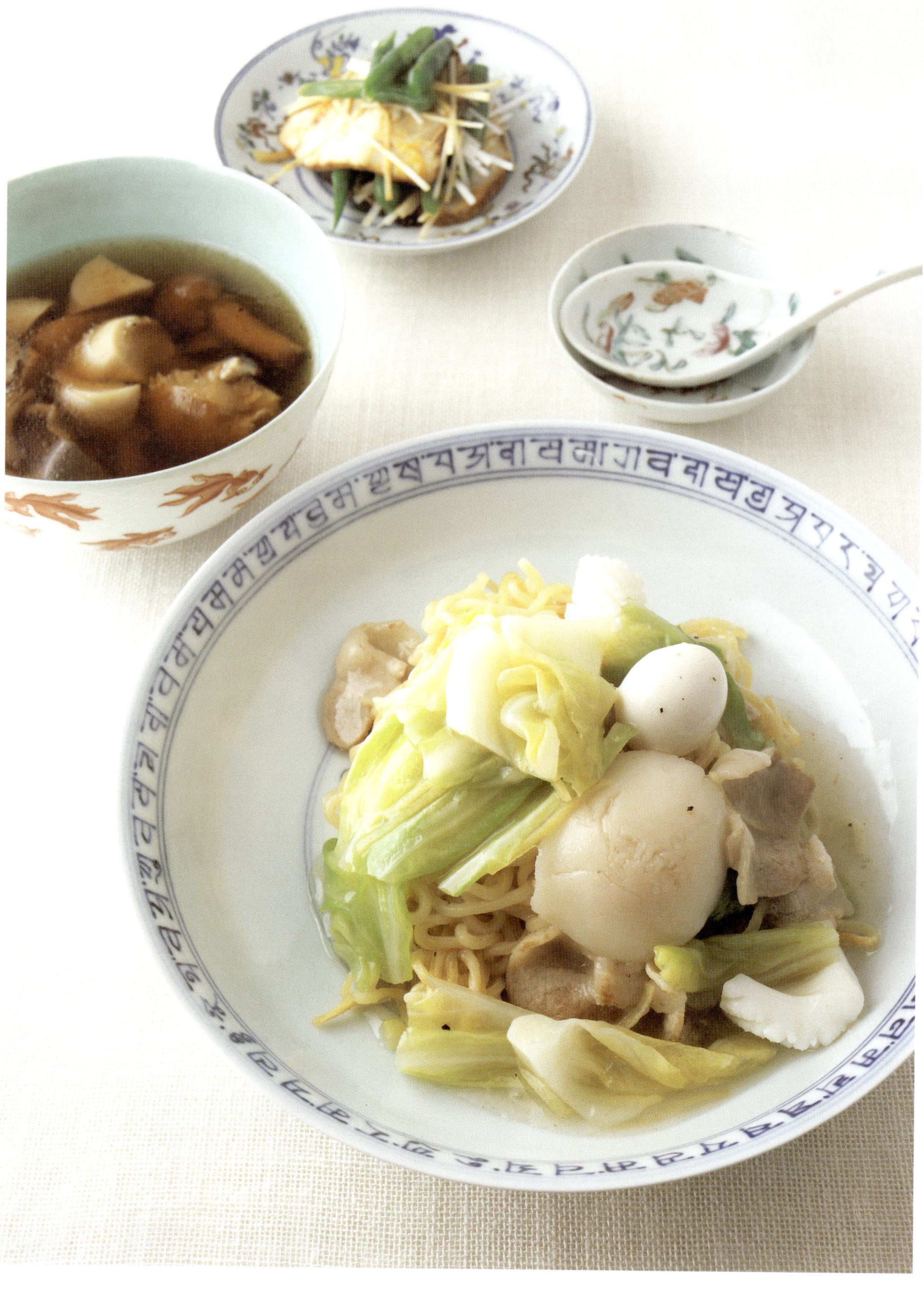

ボリュームたっぷりの元気献立

今すぐ元気になりたいときは、
豊富な食材でバランスを
よくすることがなにより！
主食がめんでも肉や魚、
野菜をいっしょにとれば
簡単にバランスアップできます。
酸辣湯（スアンラータン）の酸味は疲労回復にも効果的。
市販品もひと手間加えるだけで
立派な副菜になりますよ。

Menu
具だくさんあんかけ焼きそば
きのこの酸辣湯
チャーシューと
　さやいんげんのからしじょうゆあえ

具だくさんあんかけ焼きそば
509kcal 塩分2.9g

[材料]2人分
蒸し中華めん：2玉
ホタテ貝柱：70g
イカの胴：80g
豚肉の薄切り：50g
キャベツ：1/4個（150g）
うずら卵：4個
サラダ油：大さじ1/2
a｛しょうが（せん切り）：1かけ分
　　酒：大さじ1/2
b｛鶏がらスープのもと：小さじ1/2
　　水：1カップ
塩：小さじ1/2
こしょう：少量
かたくり粉：大さじ1
水：大さじ2

[作り方]
1 イカは皮を除いて斜め格子状に切り目を入れ、一口大に切り分ける。ホタテ貝柱は厚みを半分に切る。
2 1は熱湯でさっと下ゆでする。
3 豚肉とキャベツはそれぞれ一口大に切る。うずら卵はゆでて殻をむく。
4 なべに油を熱し、豚肉をいれていため、色が変わったらaを、キャベツを加えていため合わせる。
5 全体に火が通ってきたら2を加えてさっといため、うずら卵、bを加えて煮立たせ、塩、こしょうで味をととのえる。
6 水どきかたくり粉をまわし入れてとろみをつける。
7 中華めんを蒸し焼きにして器に盛り、6をかける。

きのこの酸辣湯
75kcal 塩分1.6g

[材料]2人分
エリンギ：1パック（200g）
なめこ：1袋（100g）
a｛顆粒スープのもと：小さじ1/2
　　水：4カップ
b｛酢：1/4カップ
　　しょうゆ：大さじ1
　　こしょう：小さじ2/3
ごま油：大さじ1/2

[作り方]
1 エリンギは石づきを除き、一口大に切る。
2 なべにエリンギとなめこ、aを入れて火にかけ、沸騰したらふたをし、弱火で4〜5分煮る。
3 bを加えて味をととのえ、ごま油をたらして火を消す。

チャーシューとさやいんげんのからしじょうゆあえ
77kcal 塩分1.2g

[材料]2人分
チャーシュー（市販品）：150g
さやいんげん：100g
ねぎ：10cm
a｛しょうゆ：小さじ1
　　からし：小さじ1/2

[作り方]
1 チャーシューは薄切りにする。ねぎは縦のせん切りにし、白髪ねぎにする。
2 さやいんげんは筋を除いて湯通しし、水にさらす。
3 ボールに1と2、ねぎとを加え合わせ、合わせたaであえる。

Column

ほっと一息、中国茶の楽しみ方

中国茶の種類

1000種類以上もあるといわれる中国茶。驚かれるかもしれませんが、実は茶葉は1つの素材から作られます。中国茶には、その葉の製法や発酵度合、色によって分類された6種、その他に花の香りをつけた花茶があります。

緑茶 [不発酵茶]
茶葉を釜いりし、発酵を止めたもの。中国でもっとも生産量が多く、一番多く飲まれるお茶。

白茶 [微発酵茶]
自然乾燥させて微発酵させたもの。「白い産毛がはえた茶葉」から白茶といわれる。色は淡く、上品な味わいがある。

黄茶 [後発酵茶]
緑茶と同様にいって乾燥させ、熱いうちに積み上げて発酵させる。生産量が多くないため、貴重なものとされる。

青茶 [半発酵茶]
おなじみのウーロン茶が青茶に属する。茶葉の状態を見ながら発酵させるため、発酵度はさまざまで、味も多様。

紅茶 [全発酵茶]
茶葉を100％発酵させたもの。今よく飲まれる紅茶も、もともとは中国から伝わったもの。

黒茶 [後発酵茶]
緑茶を、さらに高温多湿の状態で長期間発酵させたもの。広東省などでよく飲まれる。

花茶
発酵させない緑茶や青茶に花の香りをつけたものと、花そのものを乾燥させて茶葉と混ぜたものがある。

龍井茶
（ロンジンチャ）
緑茶 数ある緑茶の中でももっとも多く飲まれる代表的なお茶。苦味が少なく、さっぱりとしたやさしい甘味が特徴。

鉄観音茶
（テッカンノンチャ）
青茶 「鉄観音」とは、茶樹の品種名。茶葉は丸くよじれ、つやがある深緑色。味は濃厚で香り高い。カテキンが特に多く含まれる。

ジャスミン茶
花茶 茶葉にジャスミンの香りを移したもの。茶葉の形もさまざまで、写真は銀耳環（インアールホアン）。軽い飲み心地が乾燥した北京で最も好まれる。

肉桂茶
（ニッケイチャ）
青茶 茶樹の近くにキンモクセイが生息していることから、その香りがするといわれる。心身ともにリフレッシュできる香り。

普洱茶
（プーアールチャ）
黒茶 日常茶として、食事といっしょによく飲まれる。その種類は多く、発酵度によって味が異なる。発酵が進むとまろやかになる。

医食同源の思想を重んじる中国では、お茶も食べ物と同じく体によいもの。
その日の気分や体調に合わせて、お茶を楽しむことも生活の一部に染みついています。
中国茶にも作法はありますが、あまり気にせず自然の茶葉の味や香りを気軽に楽しんでください。

茶器を使ってお茶を入れる

中国茶に使われる茶器は、種類も多く高価なものもありますが、難しく考える必要はありません。茶器がない場合にはお手持ちの身近なもので代用しても。お茶の入れ方に少しだけこだわり、あとは気持ちをゆったりさせるだけでおいしいお茶がいただけます。

蓋碗(ガイワン)を使って

ふたつきの茶わん。茶壺の代わりにもなり、いろいろな使い方ができるのでとても重宝。好みのデザインのもので。

入れ方
茶わんに湯の1/5量の茶葉を入れて熱湯をまわし入れ、たっぷり湯を注ぐ。ふたをして4〜5ほど蒸らす。はずしたふたについた茶葉の香りを楽しんだのち、お茶をいただく。湯を足しながら、4〜5煎はいただける。

茶壺(チャーフー)を使って

中国茶器の代表で、日本茶のきゅうすと同じようなもの。ガラス製のものは茶葉の開き具合やお茶の色の様子がわかる。目でも楽しめる茶器。

入れ方
茶壺にティースプーン約1杯の茶葉を入れる。熱湯を少し高いところからまわし入れ、3〜4分ほど蒸らし、好みのカップに注ぐ。湯を足しながら、4〜5煎はいただける。

マグカップを使って

茶器の中でも新しいマグカップですが、中国茶を一番気軽に楽しめます。シンプルな色と形はどんなお茶を入れても合います。

入れ方
マグカップにティースプーン約1杯の茶葉を入れる。熱湯をカップの8〜9分目まで注ぎ、ふたをして蒸らす。3〜4分ほど蒸らしたらふたをはずし、お茶をいただく。湯を足しながら、同様にふたをして蒸らし、4〜5煎はいただける。

終わりに

人は生まれてから食べ物で大きくなりますね。
しかし、生まれたばかりの赤ちゃんと90歳を超えたお年寄りとでは、
食事の内容も大きく違ってきます。
子供からお年寄りまで、家族の成長はさまざまですが、
子供の成長を何十年も続けて見守っていくのは母親にしかできない仕事です。
私はある意味で、母親は"天才"だと思います。
家族を大きく成長させる方法は、どの教科書のどこにも書いてありませんし、
お手本もないからです。
言葉を覚える前の小さな子供の成長は、体の変化でわかります。
たいせつなのは、それを見守る母親の観察と判断です。
長い人生の中で、母親の役割は責任も重くたいへんです。
ときにはつらいこともあるでしょう。かといって、
手抜きをして同じことをくり返すわけにもいきません。
家族のみんなの体をサポートするには、努力と忍耐が必要なのです。
しかし苦労ばかりではありません。子供は日々成長していますから、
明日はまた今日と違った新しい発見と楽しみがあります。
成長を見ながら食事作りをしますから、飽きることはありません。
子供を産んで、初めて私は母親の偉大さがわかるようになりました。
子育てはたいへんですが、子供が成長することで私自身も子供たちに教わり、
今もいっしょに成長しています。
「母親は強し」という言葉があります。「強し」という意味が、
今の私には、とても広く、深く感じられるのです。
子育て中のお母さんたちは、胸を張って誇ってよいと思います。
母親は単に子供を育てているだけでなく、
世の中の社会をつくり、歴史をつくっています。
もっともっと自負と自信を持ってよいと思うのです。
けっして特別なものはいりません。
母親の思いのこもった愛情いっぱいの食卓を作れば、
家族みんなが愛情あふれる人間になります。
それはいま、私がいちばん信じていることでもあります。

料理＆栄養価一覧

ここに掲載した数値は科学技術庁資源調査会編
「五訂日本食品標準成分表」の数値に基づき、計算したものです。
成分表に記載のない食品は、それに近い食品で代用しました。
栄養価は特別記載のあるもの以外は1人分もしくは1個分です。

掲載ページ	料理名	エネルギー kcal	たんぱく質 g	脂質 g	炭水化物 g	食物繊維 g	カリウム mg	カルシウム mg	リン mg	鉄 mg	レチノール当量 μg	ビタミンE mg	ビタミンB1 mg	ビタミンB2 mg	ビタミンC mg	コレステロール mg	食塩 g
8	おかゆ	142	2.4	0.4	30.8	0.2	35	2	38	0.3	0	0.1	0.01	0.01	0	0	0.0
8	梅ごまジャム (1/4量)	28	0.9	2.5	1.1	0.7	25	56	26	0.6	0	0.2	0.02	0.01	0	0	0.9
8	たくあんのごま油あえ (1/4量)	20	0.8	1.5	0.7	0.5	69	10	24	0.2	0	0.1	0.03	0.01	2	1	0.3
8	ゆで卵	57	4.6	3.9	0.1	0.0	49	19	68	0.7	56	0.4	0.02	0.16	0	158	0.5
8	りんごとオレンジのフレッシュサラダ	52	0.4	0.1	14.0	1.2	116	9	14	0.1	8	0.2	0.04	0.02	16	0	0.2
10	黒砂糖フレンチトースト	307	10.0	14.8	32.9	1.0	294	134	158	1.2	114	0.8	0.08	0.25	1	133	0.9
10	フレッシュキャロットジュース	105	1.0	0.2	27.6	2.6	277	27	32	0.4	645	0.9	0.09	0.04	29	0	0.0
12	サケのフライパン焼き	224	22.8	12.6	2.7	0.0	339	18	279	0.4	24	0.7	0.14	0.16	1	64	2.5
12	大根とわかめのみそ汁	35	2.2	0.6	6.1	1.8	317	40	57	0.5	15	0.1	0.04	0.05	7	0	1.4
12	りんごのシロップ煮	186	0.5	0.2	49.6	2.9	248	10	26	0.2	6	0.4	0.04	0.02	11	0	0.0
14	ソーセージとにんじんのコンソメ煮	159	5.4	12.3	7.2	1.6	238	20	87	0.4	875	0.8	0.12	0.07	6	21	1.4
14	グレープフルーツジュース	95	2.3	0.3	24.0	1.5	350	38	43	0.3	0	0.8	0.18	0.08	90	0	0.0
16	オートミールの豆乳がゆ	276	10.7	10.3	35.3	4.8	391	45	232	2.9	0	1.3	0.16	0.07	7	4	0.9
16	ほうれん草入りふわふわオムレツ	147	6.5	12.4	2.2	1.4	411	58	118	1.9	406	2.7	0.08	0.27	18	158	0.5
16	いちご	17	0.5	0.1	4.3	0.7	85	9	16	0.2	2	0.2	0.02	0.01	31	0	0.0
18	ポテトのポタージュスープ	151	3.2	8.0	16.5	1.0	400	68	85	0.4	72	0.9	0.09	0.11	27	22	0.8
18	キャベツとパイナップルのあえもの	95	2.1	3.3	16.7	3.4	366	62	41	0.6	14	0.3	0.11	0.05	72	0	0.5
18	目玉焼き	117	6.6	9.4	0.6	0.3	75	53	103	1.1	75	1.2	0.04	0.22	0	210	0.6
18	かぼちゃのポタージュスープ	208	3.5	14.0	16.6	2.2	384	83	89	0.4	535	3.5	0.07	0.16	27	38	0.7
20	中国風簡単コーンクリームスープ	144	4.8	6.0	18.2	2.1	338	21	101	0.9	133	1.4	0.08	0.16	17	105	1.0
20	レタスとクレソンのせん切りサラダ	62	1.2	4.7	4.5	1.9	309	41	44	0.9	97	1.4	0.07	0.06	13	0	0.8
20	アイスクリームのキウイフルーツがけ	90	1.6	3.7	13.5	1.3	193	56	49	0.2	39	0.7	0.02	0.06	35	10	0.1
20	オートミールのクレープ	402	11.8	17.9	48.0	4.3	423	169	321	1.9	126	0.9	0.16	0.26	5	91	1.1
22	ひじきと豚ひき肉のいため煮 (1/4量)	132	6.0	9.9	6.6	3.3	447	109	63	4.5	44	1.3	0.19	0.15	1	19	1.7
22	ひじき入りオムレツ	159	8.2	12.4	2.4	1.1	214	62	111	2.4	90	1.2	0.09	0.26	0	216	0.8
22	切り干し大根と油揚げのいため煮 (1/4量)	140	3.3	11.4	6.4	2.0	257	105	58	1.5	0	1.5	0.04	0.02	0	0	0.7
22	切り干し大根のレタス包み	95	2.3	7.6	4.7	1.5	201	73	42	1.0	6	1.1	0.04	0.02	0	0	0.4
23	じゃこのカリカリいため (1/4量)	171	10.5	12.9	1.8	0.0	141	132	223	0.3	60	2.7	0.06	0.02	0	98	2.3
23	カリカリじゃこおにぎり	248	4.9	2.5	48.5	0.4	60	25	80	0.2	10	0.4	0.04	0.02	0	16	0.4
26	押し麦入り炊き込みごはん	420	12.4	1.9	87.6	4.6	315	32	181	1.5	0	0.8	0.12	0.11	0	9	2.6
28	さつま芋とドライソーセージの黒米入り炊き込みごはん	521	10.7	6.9	101.4	2.3	409	28	204	1.9	2	1.3	0.24	0.08	12	12	0.9
30	甘栗とベーコンのきび入り炊き込みごはん	572	13.2	8.7	106.6	3.3	324	17	215	2.2	4	0.6	0.26	0.11	9	9	0.6
30	里芋とハムのあわ入り炊き込みごはん	464	9.0	7.9	86.3	2.8	452	20	194	2.3	0	1.8	0.17	0.05	7	1	0.3
32	具だくさん玄米入り炊き込みごはん	548	14.5	14.5	89.4	5.0	622	103	335	3.0	525	1.6	0.39	0.13	5	11	1.2
34	長芋とコンビーフの赤米入り炊き込みごはん	480	14.9	6.6	87.3	1.7	310	20	227	2.9	0	1.0	0.24	0.09	2	26	1.0

掲載ページ	料理名	エネルギー	たんぱく質	脂質	炭水化物	食物繊維	カリウム	カルシウム	リン	鉄	レチノール当量	ビタミンE	ビタミンB1	ビタミンB2	ビタミンC	コレステロール	食塩
		kcal	g	g	g	g	mg	mg	mg	mg	μg	mg	mg	mg	mg	mg	g
36	赤米の簡単チャーハン	401	10.2	11.7	59.8	0.5	117	32	145	1.1	75	1.7	0.06	0.23	0	210	0.7
36	きびごはんのカレー	640	17.6	16.4	102.1	4.2	791	107	271	1.7	549	1.5	0.51	0.23	29	36	2.3
37	あわごはんのドライカレー	501	13.7	12.7	79.2	2.5	340	35	182	2.0	5	1.5	0.17	0.12	6	27	1.2
37	押し麦ごはんの山芋どんぶり	414	6.4	6.8	78.7	1.5	300	17	91	0.5	0	0.4	0.09	0.04	3	0	0.9
40	卵とねぎの塩いため	167	6.3	14.2	2.2	0.6	113	34	97	1.0	76	2.3	0.04	0.23	3	211	0.7
40	搾菜ときのこのスープ	87	5.8	5.3	4.7	1.6	257	20	83	1.1	3	0.4	0.22	0.11	1	19	2.1
40	ブロッコリーのごまあえ	80	4.6	5.2	6.2	3.8	265	132	109	1.5	78	1.7	0.13	0.15	72	0	0.5
44	大鉢茶わん蒸し（子供用）	141	12.2	6.9	6.5	0.4	318	48	179	1.4	77	1.1	0.08	0.25	3	253	1.8
44	大鉢茶わん蒸し（大人用）	140	11.9	6.9	6.2	0.5	306	48	173	1.4	82	1.2	0.08	0.25	3	253	1.6
44	青梗菜と豚肉のオイスターソースいため	245	8.0	13.9	23.1	6.5	705	65	147	0.8	2730	2.5	0.13	0.13	8	0	1.0
44	にんじんのせん切りサラダ	87	6.1	5.6	2.9	1.0	307	79	79	0.3	256	1.2	0.25	0.11	19	17	0.8
48	わが家のエビチリ	112	8.2	6.2	5.9	0.5	309	19	128	0.3	70	2.4	0.05	0.03	12	54	0.7
48	グリーンアスパラガスとピーマンのごまマヨネーズあえ	80	2.4	7.0	3.2	1.1	146	36	74	0.5	34	1.0	0.05	0.05	26	5	0.4
48	卵とコーンのあっさりスープ	89	2.3	4.5	9.7	1.1	61	8	37	0.4	22	0.7	0.02	0.07	1	53	0.9
52	ホタテとイカのにら入りかき揚げ	387	16.8	30.5	7.0	0.3	388	16	231	0.3	79	7.4	0.03	0.10	4	118	0.9
52	かぶとドライマンゴーの甘酢あえ	71	0.6	3.1	10.5	1.3	222	21	21	0.2	20	0.5	0.02	0.04	18	0	0.3
52	白菜とベーコンのスープ	102	1.8	4.6	13.9	1.1	243	47	53	0.5	17	0.5	0.07	0.04	22	4	0.9
56	白身魚と豚バラ肉のしょうゆいため	251	17.9	16.7	4.9	0.3	435	9	238	0.7	42	3.2	0.18	0.11	3	71	1.2
56	さやいんげんともやしのさっぱりあえ	38	2.7	1.5	4.9	2.4	176	34	44	0.7	37	0.5	0.06	0.10	14	0	0.4
56	じゃが芋と玉ねぎのみそ汁	110	5.2	4.0	14.0	1.9	396	64	102	1.1	0	0.5	0.08	0.05	17	1	1.3
60	青魚の酢じょうゆ煮	250	21.4	15.1	4.5	0.3	364	12	245	1.3	24	1.5	0.16	0.29	0	64	1.4
60	キャベツと竹の子の梅あえ	93	2.7	6.3	8.4	3.4	423	57	52	0.6	19	0.5	0.06	0.07	44	0	2.2
60	里芋となめこのスープ	28	1.0	0.1	6.6	1.5	297	6	36	0.4	0	0.2	0.04	0.04	2	0	0.7
64	豚スペアリブと干しぶどうのカレー煮	486	15.2	40.0	12.8	1.4	416	27	172	1.7	13	1.9	0.56	0.15	2	69	1.4
64	2色ピーマンとスナップえんどうのサラダ	56	1.3	3.2	6.7	1.5	166	13	29	0.4	81	2.3	0.06	0.07	107	0	0.5
64	かぼちゃのみそ汁	68	2.7	0.7	13.1	2.2	388	23	63	0.7	330	2.7	0.06	0.07	22	0	1.3
68	牛もも肉のみそいため	215	15.5	14.8	3.0	0.4	296	15	149	1.4	25	1.4	0.07	0.17	4	52	1.0
68	春雨ときゅうりのあえもの	114	2.5	4.9	16.2	1.4	200	53	86	0.9	41	0.3	0.03	0.03	11	0	0.7
68	じゃが芋と玉ねぎ、セロリのスープ	63	1.4	1.6	11.3	1.6	357	24	41	0.3	3	0.2	0.06	0.03	19	0	0.7
72	棒々鶏と小松菜のりんごじょうゆだれかけ	190	14.4	11.9	5.9	2.0	640	162	181	2.8	420	0.9	0.14	0.25	32	74	1.1
72	にんじんとごぼうのコロコロじょうゆいため	91	1.6	4.6	11.3	3.1	248	28	48	0.5	420	1.0	0.04	0.03	3	0	0.7
72	グリンピースとサクラエビのスープ	96	7.5	3.5	8.1	3.0	228	161	138	0.9	26	1.3	0.16	0.07	8	53	0.7
76	麻婆豆腐	238	16.0	15.9	6.6	0.8	331	189	221	1.9	24	2.3	0.13	0.11	3	17	1.3
76	いろいろきのこの塩いため	80	3.3	7.1	5.1	3.6	366	3	106	0.4	13	0.9	0.16	0.28	4	5	0.5
76	とろろこんぶのスープ	22	1.6	0.0	6.1	1.4	402	41	51	0.3	7	0.0	0.04	0.05	1	0	1.8

掲載ページ	料理名	エネルギー	たんぱく質	脂質	炭水化物	食物繊維	カリウム	カルシウム	リン	鉄	レチノール当量	ビタミンE	ビタミンB₁	ビタミンB₂	ビタミンC	コレステロール	食塩
		kcal	g	g	g	g	mg	mg	mg	mg	μg	mg	mg	mg	mg	mg	g
80	厚揚げときくらげのしょうゆいため煮	113	6.3	7.5	6.0	2.4	145	140	99	2.4	11	1.4	0.05	0.06	2	0	1.0
80	焼きなすのタラコあえ	110	4.6	7.9	6.1	2.5	273	49	93	0.6	20	2.0	0.15	0.11	8	45	0.6
80	トマトと卵のスープ	56	2.3	2.4	6.9	1.0	230	15	50	0.5	109	1.1	0.06	0.07	15	53	0.6
84	大豆の粒こしょう (1/10量)	77	5.4	4.1	4.8	2.6	296	39	88	1.6	0	0.7	0.10	0.05	0	0	3.3
84	紫花豆のコンソメ煮 (1/10量)	65	3.2	1.6	9.4	3.1	240	20	64	1.0	0	0.3	0.08	0.03	0	0	0.1
84	大福豆の八角煮 (1/10量)	64	3.2	15.5	9.3	3.1	240	21	64	1.0	0	0.1	0.08	0.03	0	0	0.6
85	白玉あずき	249	8.9	1.0	51.0	7.2	601	31	146	2.3	0	0.2	0.18	0.07	0	0	0.2
85	おしるこ	346	11.0	1.7	70.6	7.8	631	33	182	2.3	0	0.3	0.24	0.13	0	0	0.2
85	緑豆ドリンク	71	5.0	0.3	11.8	2.9	260	20	64	1.2	5	0.2	0.14	0.04	0	0	0.0
88	れんこんとしょうがのスープ	299	11.4	22.7	17.8	2.5	677	27	173	1.1	7	1.0	0.46	0.10	50	46	1.7
88	大根とねぎのあっさりスープ	309	17.4	19.6	16.0	5.4	852	435	282	4.6	1	3.3	0.18	0.09	33	1	1.5
90	胚芽米の七分がゆ	340	7.3	6.5	62.4	2.6	181	119	173	1.8	22	1.7	0.23	0.06	3	0	1.2
90	すりおろしりんごのあわがゆ	235	3.9	0.7	55.2	3.2	214	11	83	0.4	4	0.3	0.07	0.04	5	0	0.5
92	かぼちゃと山芋の黒米がゆ	465	9.1	8.5	88.0	6.3	818	27	300	2.3	496	5.3	0.45	0.11	35	0	1.0
92	金時豆とさつま芋の大麦がゆ	445	12.7	1.8	95.4	15.4	1059	93	263	3.6	4	1.4	0.32	0.13	22	0	0.0
94	きんかん茶	7	0.1	0.1	1.8	0.5	18	8	1	0	2	0.3	0.01	0	5	0	0.0
94	黒砂糖入りしょうが湯	59	0.4	0.1	14.6	0.4	214	38	9	0.8	0	0	0.01	0.01	0	0	0.0
95	松の実とはちみつのホットドリンク	131	1.5	7.3	17.5	0.7	65	2	56	0.8	0	1.4	0.06	0.02	1	0	0.0
95	くこの実のホットドリンク (1/10量)	35	0.1	0.0	3.1	0.1	43	5	6	0.2	0	0	0.00	0.00	0	0	0.0
100	春餅 [チュンピン] (1枚分)	53	1.2	1.0	9.2	0.3	13	3	9	0.1	0	0	0.01	0.01	0	0	0.0
103	春餅の北京ダック	333	12.6	23.5	14.8	0.2	182	7	102	1.5	35	0.2	0.19	0.27	2	65	1.7
104	炸醬麺 [ジャージャーメン]	545	17.6	26.3	55.1	3.7	384	50	167	2.0	33	2.0	0.35	0.14	8	35	3.0
106	長寿麺 [チャンショウメン]	300	21.6	5.1	38.3	1.6	531	62	299	3.8	147	1.6	0.18	0.54	6	208	2.4
108	コーンのシューマイ	344	18.1	13.4	34.8	1.5	363	21	177	1.3	11	0.5	0.51	0.22	4	57	1.5
108	海鮮蒸しギョーザ	228	16.4	3.8	30.1	1.0	296	56	229	1.1	78	1.8	0.06	0.07	4	128	1.5
114	3種のクッキー (1枚分)	183	2.7	10.3	19.4	0.8	147	39	58	0.7	6	1.7	0.04	0.05	0	18	0.1
114	お茶入り揚げドーナツ (1個分)	111	1.8	5.1	13.7	0.7	98	27	32	0.5	25	1.4	0.02	0.04	2	18	0.1
115	あつあつごま団子 (1個分)	109	2.6	4.2	14.7	1.3	14	14	24	0.7	0	0.6	0.01	0.01	0	0	0.1
115	マンゴープリン (1個分)	351	6.5	18.2	43.1	2.3	389	89	74	0.4	333	3.5	0.09	0.19	39	49	0.1
118	ホタテと白きくらげの美人がゆ	350	11.6	3.9	64.6	2.1	195	16	143	1.0	0	0.8	0.06	0.06	0	15	3.6
118	ピータン豆腐	288	17.0	21.3	4.6	0.6	327	127	288	3.4	143	2.1	0.16	0.25	0	442	2.6
118	れんこんのつけものあえ	129	2.4	6.1	17.1	2.9	563	52	103	0.8	41	1.0	0.14	0.03	54	0	0.7
120	具だくさんあんかけ焼きそば	509	29.4	11.4	68.3	4.4	667	70	447	1.7	82	2.2	0.32	0.27	32	217	2.9
120	きのこの酸辣湯	75	5.2	3.6	12.2	5.7	611	9	165	0.9	0	0	0.18	0.35	0	0	1.6
120	チャーシューとさやいんげんのからしじょうゆあえ	77	7.9	3.3	4.3	0.8	195	19	113	0.5	25	0.2	0.34	0.11	10	17	1.2

ウー・ウェン

中国・北京出身。北京師範大学英文学科卒業。
1990年、留学のために来日。
その後結婚し、一男一女の母となる。
自宅でのおもてなし料理が評判となり、料理研究家の道へ。
母親から伝えられた家庭料理は、シンプルかつ体や健康をいたわるものとして人気を呼ぶ。「仕事をしていても子供が第一」をモットーにテレビ、雑誌、書籍など幅広い分野で活躍。
親しみやすく、パワーあふれる人柄はだれもが魅了される。
雑誌『栄養と料理』で紹介された「ウー・ウェンさんの医食同源」は3年間続き、人気連載ページに。
現在、東京、北京（7・12月）にてクッキングサロンを開いている。

ウー・ウェン クッキングサロン　電話03-3447-6171
E-mail:lin-wu@ii.em-net.jp

おもな著書　『ウー・ウェンの北京小麦粉料理』『大好きな炒めもの』
　　　　　　　ともに高橋書店
　　　　　　『ウー・ウェンのきれいなからだの基本献立』文化出版局
　　　　　　『東京の台所　北京の台所』岩崎書店　などその他多数。

撮影	白根正治
アートディレクション	竹盛若菜
スタイリング	井上輝美
イラスト	林愛弥　林舜也
栄養価計算	大越郷子
校正	佐藤美津子
料理製作アシスタント	飯塚裕子　四ツ井明江　伊勢谷愛　廣田美里

ウー・ウェンさんの わが子が育つ家族の食卓

2005年8月10日　初版第一刷発行

著者　ウー・ウェン
発行者　香川達雄
発行所　女子栄養大学出版部
　　　　〒170-8481　東京都豊島区駒込3-24-3
　　　　電話　03-3918-5411（営業）　03-3918-5301（編集）
　　　　ホームページアドレス　http://www.eiyo21.com
振替　00160-3-84647
印刷所　日本写真印刷株式会社

乱丁本・落丁本はお取り替えいたします。
本書の内容の無断転載・複写を禁じます。

ISBN4-7895-4731-0
©Wu Wen 2005,Printed in Japan